Os Cem Melhores Poemas Brasileiros do Século

OBJETIVA

Italo Moriconi

Organização, Introdução e Referências Bibliográficas

Os Cem Melhores Poemas Brasileiros do Século

OBJETIVA

EDITORA OBJETIVA LTDA., rua Cosme Velho, 103
Rio de Janeiro – RJ – CEP 22241-090
Tel.: (21) 556-7824 – Fax: (21) 556-3322
www.objetiva.com.br

Coordenação de Direitos Autorais
Lúcia Riff/Agência Literária

Capa
João Baptista de Aguiar

Revisão
Neusa Peçanha
Tereza da Rocha

Editoração Eletrônica
FUTURA
2001

M854c
    Moriconi, Italo (organizador)
      Os cem melhores poemas brasileiros do século/Italo Moriconi (organizador). –
Rio de Janeiro: Objetiva, 2001

    350 p.   ISBN 85-7302-371-6

    1. Literatura brasileira – Poesia – Coletânea. I. Título

                                  CDD B869.1

No Pão de Açúcar
de cada dia
dai-nos Senhor
a poesia
de cada dia

OSWALD DE ANDRADE

Sumário

Segunda Parte
Educação sentimental

Terceira Parte
O cânone brasileiro

Quarta Parte
Fragmentos de um discurso vertiginoso

Introdução

Italo Moriconi

Mais uma vez, a editora Objetiva me ofereceu o desafio e a oportunidade de trabalhar com uma seleção de textos do século 20, agora tendo por objeto a poesia. Quem não gosta de fazer listas de preferidos? Selecionar, distinguir, hierarquizar são inerentes ao ato da recepção poética e atendem a objetivos tanto de sabedoria quanto de pura curtição, puro prazer sensorial-mental. O mapa de nossas preferências em cinema, em música, em literatura, sempre dá aos outros e a nós mesmos uma boa imagem de quem somos. Uma antologia de poesia como esta que o leitor tem agora nas mãos dirige-se ao "quem somos" no duplo sentido de brasileiros e indivíduos humanos. Humanos como todos os demais sobre a face do planeta, mas fatalmente marcados por múltiplas circunstâncias. Pratiquei um exercício de cartografia, tentando tocar em pontos emotivos e intelectuais capazes de abrir para o leitor a possibilidade de um reconhecimento de si e do diverso no panorama apresentado. Mais exatamente, na *proposta* de panorama aqui apresentada.

Para chegar a essa proposta, resolvi criar uma figura de ficção: o leitor e a leitora "marcianos" no planeta da poesia. A essa figura hipotética é que se destinaria, em primeiro lugar, meu panorama. Tinha certeza de que, agradando a tal figura, estaria agradando a todos os demais tipos de leitores. Meu leitor (ou leitora) marciano seria brasileiro de nascença, bem alfabetizado, razoavelmente informado, amante da leitura, e teria por característica básica não conhecer nada ou quase nada da melhor poesia literária de seu país, mas estaria com muita vontade de passar a conhecê-la, de explorar esse terreno. Meu "marciano" não seria completamente virgem em poesia. Isso é impossível no Brasil, país em que se pode absorver boa poesia diariamente, através das melhores letras da música popular, do samba ao rap, passando por todos os etcéteras rítmicos, que ouvimos no rádio e verouvimos na televisão. Um dos grandes poetas brasileiros, Mário de Andrade, chegou mesmo a dizer certa vez que a mais original contribuição artística do brasileiro estava na música popular. Todos sabem que a poesia de livro e a canção popular várias vezes se cruzaram e continuam se cruzando em nossa cultura, produzindo resultados fantásticos. Não foram poucos os grandes, médios e pequenos poetas literários que participaram com competência dos dois mundos, por serem também eméritos letristas. Lembre-se aqui o nome do eterno decano nessa seara bifurcada: Vinicius de Moraes.

*   *   *

Ter por bússola o leitor e a leitora hipoteticamente "marcianos" me deixou livre para pensar uma formatação do volume adequada à valorização da poesia enquanto tal, independente dos esquemas naftalínicos que estamos acostumados a encontrar em manuais escolares e mesmo nas mais usuais histórias literárias universitárias. Era uma forma de dar conseqüência prática à proposta da editora, que mantinha como norte o princípio prevalecente no projeto anterior dos cem contos. Tratava-se então, e trata-se ainda, aqui, de fazer a seleção não segundo critérios de representatividade acadêmica ou erudita e sim tendo em vista a meta de oferecer ao público uma amostra do melhor da poesia brasileira, por meio da escolha de cem poemas incontornáveis, definitivos, inesquecíveis, extraídos das obras escritas por um time confiável de poetas destacados, legitimados pela crítica mais antenada, inclusive a contemporânea.

No caso da poesia, que já foi no Brasil terreno (produtivamente, a meu ver) minado por polêmicas vigorosas, o referido princípio de trabalho ainda trazia a possibilidade de montar a seleção sem preocupar-me com uma representatividade por grupos, seitas, escolas, gerações. Um tipo de critério que jamais despertaria o interesse de meu modelo de leitor/leitora: marcianos.

Nós, os marcianos...

Eu, marciano. Parti para o trabalho buscando satisfazer em primeiro lugar o marciano que existe dentro de mim, o marciano ou marciana que existe dentro de todo leitor de poesia. Ler poesia é ato de inauguração pessoal, pisar novo chão, uma outra aterrissagem, possibilidade de transmigrar de planeta mental, emocional. Fenômeno que acontece mesmo quando estamos relendo pela enésima vez um poema que já conhecemos até de cor.

Ler novamente um poema que amamos é como lavar o rosto pela manhã.

*   *   *

Estabelecidos os parâmetros, o critério básico de escolha dos poemas foi seu caráter de essencialidade. Diante da quantidade avassaladora de poemas excelentes produzidos por um número sempre crescente de poetas, como fazer para restringir-me a cem? Digo sempre crescente, porque quanto mais estendia a pesquisa, mais descobria, redescobria e sobretudo revalorizava poetas. Por isso, no meio do furor da pesquisa, cem me pareceu número insuficiente para conter toda a minha paixão pela poesia e pelos poetas brasileiros, meus irmãos e irmãs, meus semelhantes, meus faróis, meus guias. Albatrozes desajeitados e magníficos, como os definiu no século retrasado o francês Baudelaire. Uma definição essencial que foi depois reaproveitada pelo nosso Carlos Drummond de Andrade, na figura do poeta "*gauche*". O poeta *gauche* de Drummond: desajeitado mas já não magnífico, apenas confuso, tonto pelo conhaque da vida. Com conhaque ou sem conhaque, depois de tudo, o número de cem poemas voltou a me parecer uma quantidade perfeita, arbitrária e necessária, até pelo seu jeito duplamente circular, como um século que termina e outro que começa. Vi que com um cento de poemas era possível oferecer ao leitor e à leitora, exploradores de sensibilidade, o panorama desejado.

Entenda-se por essencialidade a capacidade de um poema ser exemplar dentro do seu gênero específico. Existem poemas curtos e poemas longos, poemas-piadas e poemas filosóficos, poemas sentimentais e poemas cômicos, poemas descritivos e poemas metafóricos, poemas gendericamente neutros (aqueles que poderiam ter sido escritos tanto por homem quanto por mulher) e poemas marcados pelo feminino, como os de Gilka Machado no início do século e os de Adélia Prado, Hilda Hilst, Olga Savary, Dora Ferreira da Silva no final – entre outras, claro. Elas estão bem representadas aqui, prezada leitora. Existem poemas populares e poemas eruditos, poemas simples e poemas complexos. Diga-se de passagem que "popular" em poesia pode ter duas acepções: pode referir-se ao poema efetivamente popular, ligado a uma cultura folclórica, como no caso do cordel, e pode referir-se ao poema literário que se tornou conhecido e amado, como a "Canção do exílio" de Gonçalves Dias no século 19 e, no século 20, para dar dois exemplos, o "Soneto de fidelidade", de Vinicius, e "Tecendo a manhã", de João Cabral de Melo Neto.

Tentei dar uma idéia de toda essa diversidade. Minha preocupação maior foi tornar o volume agradável de ler à primeira vista, mas ao mesmo tempo fornecer aos exploradores ousados a oportunidade de um contato pessoal, não escolar nem escolástico, com alguns dos mais sofisticados produtos do gênio poético brasileiro, nossos maiores monumentos literários, aqui reunidos na terceira parte do livro, intitulada "O cânone brasileiro".

Duas palavras sobre esse tópico. O cânone poético literário de uma cultura tem certa importância política e pragmática. Idealmente, ele compreende os poemas que levam a língua de todo dia ao extremo de suas possibilidades de expressão, beleza, emoção e lucidez. O cânone é um capital lingüístico. Ler e reler um poema canônico é aperfeiçoar o nível de alfabetização. Alfabetização em todos os sentidos: no sentido da compreensão das palavras, dos discursos e das verdades; no sentido da compreensão da vida humana e suas diferenças; no sentido de uma educação progressiva da sensibilidade. O cânone poético tem uma função educativa genérica de criar identidade. Por isso, os poemas mais épicos, mais grandiloqüentes, assim como aqueles voltados para revelar e reverenciar o passado nacional (como o "Romanceiro da Inconfidência", de Cecília Meireles) já são canônicos no nascedouro. Mas normalmente um poema se torna canônico à medida que é consagrado como tal por sucessivas gerações de leitores. Mostrar fôlego é pré-requisito para um poeta tornar-se canônico, embora nem todo poema canônico necessite ser longo ou muito longo. Mas é no cânone que os textos mais longos encontram seu melhor *habitat*. Longo, porém, em princípio não quer dizer verborrágico. Chamo de muito longos poemas com mais de 20 páginas. Os mais consagrados poemas muito longos do século estão aqui representados por um ou mais trechos escolhidos, seguindo uma tradição bem estabelecida em seletas poéticas.

*   *   *

Como ocorreu no trabalho com os contos, a seleção aqui apresentada orientou-se, além do critério da essencialidade, pelo uso de um *olhar contemporâneo*. Ou seja, novamente, estes poemas só poderiam ter sido escolhidos e seqüenciados da forma como estão seqüenciados por alguém que não apenas é filho do século, mas filho do fim do século. Alguém cuja formação como poeta e como profissional das letras se deu nas décadas de 1970 em diante. Tal ponto de partida traz duas conseqüências muito significativas. Em primeiro lugar, defino nosso século poético como basicamente modernista. Em seguida, defino todo o período posterior ao apogeu modernista não nos termos do debate vanguardista (tanto concretista quanto populista) dos anos 50/60, mas sim em termos dos valores que são caros aos pós-modernismos dos anos 70 em diante. São eles, primeiro a chamada "geração marginal" de poetas como Torquato Neto, Chacal, Cacaso. Depois a revolução feminista na sociedade, na cultura e na literatura, que deixa para o século 21 o legado de um bruta imbróglio nas relações entre masculino e feminino. Finalmente, as tendências de fim-de-século que nos anos 80 e principalmente 90 apontam para uma revalorização de linguagens alegóricas, investindo no espírito ambicioso dos exploradores de sensibilidade. Parodiando a frase célebre do poeta americano Ezra Pound: mais do que nunca, o leitor e a leitora de poesia são antenas da raça.

*   *   *

Com base no olhar contemporâneo, operou-se a divisão do material em quatro partes. Elas obedecem de maneira flexível à cronologia do século. A primeira parte, "Abaixo os puristas", apresenta poemas das primeiras décadas, com ênfase na produção dos grandes mestres do primeiro momento modernista. Aquele momento deslanchado pela Semana de Arte Moderna de São Paulo, em 1922, que um crítico, creio que Alfredo Bosi, chamou de "heróico", o momento propriamente revolucionário, inovador, em que se logrou criar uma linguagem poética própria de nosso país. A nova língua poética inspirava-se por um lado em modelos franceses. Baudelaire parodiado e como modelos positivos Apollinaire e Cendrars, esses os referenciais. A melhor poesia brasileira é profundamente francófila, com exceção de Cecília Meireles. Por outro lado, a força da nova língua poética, que sob diversos aspectos ainda é a nossa hoje, esteve na incorporação da linguagem e da cultura populares. Era a "contribuição milionária de todos os erros" que Oswald de Andrade propôs num de seus famosos manifestos.

O olhar inaugurado por esse modernismo original, que encontramos em textos memoráveis como "Poema de sete faces" e "No meio do caminho", de Drummond, assim como em "Poética", de Manuel Bandeira, ou nos poemas de Murilo Mendes, é inclusive o único viés que nos permite identificar tesouros na poesia não-modernista. Apliquei esse crivo ao escolher os poemas de Olavo Bilac, Augusto dos Anjos, Alphonsus de Guimaraens, Pedro Kilkerry, Gilka Machado. Claro que para um pesquisador erudito muito especializado, talvez pareça pequeno o número de poemas "pré-modernistas" (como eles gostam equivocadamente de chamar) aqui apresentado, mas nosso interesse não é enciclopédico e sim dar uma visão essencial do poético em sua versão brasileira. Trabalhamos na esfera da proteína pura.

* * *

Assim como na seleção dos cem melhores contos, a flexibilização da cronologia é grande no interior de cada seção. Ou seja, embora as quatro partes do volume obedeçam a um princípio cronológico (início, meio e fim do século), os poemas dentro de cada parte estão seqüenciados de maneira livre. Poemas mais antigos podem vir depois de poemas mais recentes dentro daquele período. Assim como na antologia anterior, se o leitor quiser a informação precisa sobre a data em que foi primeiro publicado em livro um certo poema, deverá dirigir-se às Referências Bibliográficas no final do volume. Mas cabe aqui uma ressalva, pois a história de um poema tem características geralmente mais complexas que a história de um conto ou de um romance. Muitas vezes a data da primeira publicação em livro de um poema não dá uma idéia real do seu impacto de leitura. No caso da primeira parte isso é muito evidente. Se o leitor se der ao trabalho de ir às Referências, verá que uma boa proporção dos poemas nessa parte teve sua primeira edição em livro no ano de 1930. No entanto, é preciso levar em conta que esses poemas todos vinham sendo publicados em revistas e outros tipos de periódicos desde o início dos anos 20 e já eram célebres quando atingiram o suporte-livro. Em 1930 a poética modernista já estava vitoriosa e já era dinossauro quem escrevesse da maneira antiga.

O glorioso meio do século – anos 40, 50 e 60 – é marcado pelo apogeu da poesia modernista. É o momento em que, depois das rupturas verificadas nos anos 20 e vitoriosas nos 30, nossos poetas se habilitam a produzir poemas de intensa carga lírica, por um lado, e, por outro, poemas de grande fôlego lingüístico, filosófico e existencial. Devido à importância desse período, que a crítica mais recente vem chamando de "clássico", "canônico" ou "alto modernista" (traduzindo a expressão *high modernist* usada em inglês), e devido ao tipo de leitura diferenciada que os dois tipos de poemas engendram, decidimos, eu e Isa Pessôa (as intervenções dela foram decisivas aqui, assim como na titulação das partes e na seqüenciação final dos poemas), criar duas seções distintas. A segunda seção chama-se "Educação sentimental" e a terceira é a já mencionada "O cânone brasileiro". Creio que nessas duas seções encontra-se a prova viva de que a poesia brasileira em seus momentos mais fortes nada fica a dever a outras grandes poesias do século na mesma época, como a norte-americana, a alemã, a portuguesa, a italiana e, em nosso bloco continental, provavelmente a vertente neobarroca, linguagem que no Brasil quem melhor representa é o Haroldo de Campos de "Galáxias".

Intitulada "Fragmentos de um discurso vertiginoso", a quarta parte distingue-se das outras por apresentar menor concentração no número de poetas, abrindo o leque como forma de expressar o caráter mais de aposta que de legitimação definitiva que caracteriza todo ato crítico voltado para a análise da produção contemporânea. Quanto mais avancei rumo aos dias atuais, mais tentei me restringir a apenas um poema por poeta, de tal forma que, como o leitor poderá verificar, e de maneira análoga ao ocorrido na antologia de contos, temos aqui uma boa amostra da poesia de agora, a poesia dos poetas dos anos 90, que serão os poetas do início do século 21. Deles e delas esperamos muito, esperamos tudo, esperamos que prossigam e que atinjam o *status* canônico. Os leitores de poesia dos anos 90 na verdade já consagraram alguns poemas como clássicos. Um caso flagrante é "Guardar", de Antonio Cicero. É o poema com que encerramos o volume, não apenas fisicamente, mas também no sentido metafórico, pois esta antologia nasce da vontade de guardar, em todas as acepções exploradas pelo poema de Cicero, textos considerados imprescindíveis à nossa sobrevivência enquanto sujeitos de uma cultura intelectual compartilhada.

*   *   *

Como ocorre em todas as épocas, em todas as literaturas e em todas as artes, períodos de apogeu canônico são seguidos por períodos de transição, convulsão e crise positiva, que podem alongar-se por décadas e, nas culturas mais antigas, até mesmo séculos. Os "Fragmentos de um discurso vertiginoso" pretendem dar um retrato desse contexto que marcou a produção poética brasileira já a partir dos anos 50, mas como força dominante desde os anos 60. A convulsão no discurso poético corresponde à convulsão social e cultural. Revoluções e contra-revoluções, contracultura e amor livre, identificação da arte ao consumo, exposição da intimidade, tecnologias virtuais e ações ecológicas. Sobretudo a velocidade da comunicação e do fluxo de informações, que praticamente baniu a possibilidade de poemas longos ou com vocação épica obterem eco ou adquirirem relevância junto ao público leitor.

Respeito muito as tentativas de poemas longos feitas por diversos poetas nas últimas décadas. Há produções de boa qualidade, há até poetas jovens que se lançam de maneira renovadora a esse tipo de aventura. Mas o poema curto (de uma linha a no máximo duas páginas) representa melhor o conceito contemporâneo de poesia, nesta era de transição, vertigem, visualidade e auditividade. Como afirmou recentemente Heloísa Buarque de Hollanda, o poema-vertigem das últimas décadas prepara a poesia para entrar no século 21 como gênero literário relevante.

Se a cena vai mudar radicalmente, com uma possível revalorização dos poemas de maior fôlego, não sou profeta para saber. No entanto, gostaria de assinalar que considero hoje "Poema sujo", de Ferreira Gullar, a mais bem-sucedida tentativa conhecida de poema longo feita por poeta brasileiro nas três últimas décadas do século. Trata-se de um poema longo construído a partir da lógica do poema-vertigem. Por isso deu certo. Nesse sentido, mesmo escrevendo num contexto de transição pós-canônica, Gullar produziu um texto capaz de funcionar como modelo de linguagem e fôlego estético, sem retórica pomposa ou rocambolesca. Esta a razão pela qual incluí "Poema sujo" na terceira parte e não na quarta.

Já com relação a "Uma didática da invenção", de Manoel de Barros, ao qual talvez pudesse ser aplicado o mesmo tipo de critério, não tanto por ser longo, mas pela importância modelar adquirida pelo trabalho desse poeta junto ao público leitor de poesia contemporâneo, a decisão foi no sentido oposto. Achei que colocá-lo entre canônicos seria uma traição muito grande a sua poesia. Uma poesia que se quer programaticamente anticanônica ou não-canônica, e isso de maneira tão clara e declarada que na verdade constitui seu tema principal. Seria complicado colocar o poeta dos *inutensílios* na seção por assim dizer mais pedagogicamente útil desta antologia. Aos críticos, poetas e leitores futuros, a decisão final.

Agradecimentos

Agradeço a Roberto Feith, editor, e a Isa Pessôa, supervisora do projeto "Os Cem Melhores do Século", a oportunidade de mais este périplo literário. A chegada ao bom termo desse percurso deve-se em boa parte, mais uma vez, ao apoio da valorosa equipe integrada por Valéria Motta, Daniele Ribeiro e Sônia Peçanha. Novamente a interlocução constante com Isa Pessôa foi decisiva em todas as etapas de realização do projeto. Este livro teria sido também impossível sem o trabalho diligente de Lúcia Riff, cuja agência literária de novo encarregou-se da complexa arquitetura dos contratos com os autores e seus herdeiros. Esse trabalho conta ainda com a participação estratégica de Anna Azevedo e Douglas Dwight na divulgação, um dos setores que garantiu o sucesso dos *Cem Melhores Contos*. De que adianta biscoito fino se não se sabe levá-lo à massa?

Agradeço também aos amigos com quem troquei idéias, que fizeram *lobbies* simpáticos por poetas que amam e de quem tomei livros emprestados que me alimentaram ao longo do périplo: meu colega na UERJ, José Carlos Azeredo, a quem devo a veemência na indicação de "Canção elegíaca", de Joaquim Cardozo; Paulo Henriques Britto, meu irmão em poesia, a quem devo a descoberta de tantos poetas estrangeiros e que finalmente conseguiu me converter em admirador da poesia de Augusto dos Anjos; Silviano Santiago, meu incentivador e inspirador, com quem muito aprendi na vida e que tinha os livros que ninguém mais tem; Célia Pedrosa, minha cúmplice e aliada, leitora sensível de poesia; Hugo Moss, pela força dada ao "Romance XXI ou Das idéias", de Cecília Meireles; o pessoal daquela tarde na Casa de Rui Barbosa; Júlio Castañon Guimarães, pelas dicas sobre Drummond; Vera Lins, pela paixão compartilhada por Ribeiro Couto; meus queridos Antonio e Sonia Torres, minhas queridas Sílvia Ramos e Numa Ciro e mais Ana Chrystina Mignot, que sabe ler e sabe o que quer. Espero que gostem.

Rio de Janeiro, 19 de março de 2001.

Primeira Parte

Abaixo os puristas

Na poesia brasileira, é a revolução modernista de 1922 que dá régua e compasso. Transforma-se em relíquia o lirismo passadista, comedido e convencional, criticado por Manuel Bandeira em favor do lirismo passional de bêbados, loucos e palhaços. O poeta agora é o *gauche*, o desajeitado, de que fala Drummond. A poesia serve para dizer aquilo que dentro de nós produz desconforto. O real vence o ideal na disputa pelo poético. E assim o Brasil começa a se dizer de maneira mais direta nos versos de seus poetas. Abaixo os puristas. Rompem-se as amarras com a tradição, a língua portuguesa fica mais brasileira, "bárbara e nossa", como quer Oswald de Andrade. Os modernistas esquecem Lisboa e celebram Paris, aposentam Camões e consagram Baudelaire. Por outro lado, absorvem a linguagem popular das ruas, os múltiplos acentos regionais, os falares multiétnicos de nossos índios e nossos negros. Ficamos menos lusitanos. E nos tornamos, de um só golpe, mais cosmopolitas e mais nacionalistas.

Poema de sete faces

Carlos Drummond de Andrade

Quando nasci, um anjo torto
desses que vivem na sombra
disse: Vai, Carlos! ser *gauche* na vida.

As casas espiam os homens
que correm atrás de mulheres.
A tarde talvez fosse azul,
não houvesse tantos desejos.

O bonde passa cheio de pernas:
pernas brancas pretas amarelas.
Para que tanta perna, meu Deus, pergunta meu coração.
Porém meus olhos
não perguntam nada.

O homem atrás do bigode
é sério, simples e forte.
Quase não conversa.
Tem poucos, raros amigos
o homem atrás dos óculos e do bigode.

Meu Deus, por que me abandonaste
se sabias que eu não era Deus
se sabias que eu era fraco.

Mundo mundo vasto mundo,
se eu me chamasse Raimundo
seria uma rima, não seria uma solução.
Mundo mundo vasto mundo,
mais vasto é meu coração.

Eu não devia te dizer
mas essa lua
mas esse conhaque
botam a gente comovido como o diabo.

Poética

Manuel Bandeira

Estou farto do lirismo comedido
do lirismo bem comportado
Do lirismo funcionário público com livro de ponto expediente protocolo e
                              [manifestações de apreço ao Sr. diretor

Estou farto do lirismo que pára e vai averiguar no dicionário o cunho
                              [vernáculo de um vocábulo

Abaixo os puristas

Todas as palavras sobretudo os barbarismos universais
Todas as construções sobretudo as sintaxes de exceção
Todos os ritmos sobretudo os inumeráveis

Estou farto do lirismo namorador
Político
Raquítico
Sifilítico
De todo lirismo que capitula ao que quer que seja fora de si mesmo.

De resto não é lirismo
Será contabilidade tabela de co-senos secretário do amante exemplar
                [com cem modelos de cartas e as diferentes
                [maneiras de agradar às mulheres, etc.

Quero antes o lirismo dos loucos
O lirismo dos bêbedos
O lirismo difícil e pungente dos bêbedos
O lirismo dos clowns de Shakespeare

– Não quero mais saber do lirismo que não é libertação.

Canção do exílio

Murilo Mendes

Minha terra tem macieiras da Califórnia
onde cantam gaturamos de Veneza.
Os poetas da minha terra
são pretos que vivem em torres de ametista,
os sargentos do exército são monistas, cubistas,
os filósofos são polacos vendendo a prestações.
A gente não pode dormir
com os oradores e os pernilongos.
Os sururus em família têm por testemunha a Gioconda.
Eu morro sufocado
em terra estrangeira.
Nossas flores são mais bonitas
nossas frutas mais gostosas
mas custam cem mil réis a dúzia.

Ai quem me dera chupar uma carambola de verdade
e ouvir um sabiá com certidão de idade!

pronominais

Oswald de Andrade

Dê-me um cigarro
Diz a gramática
Do professor e do aluno
E do mulato sabido
Mas o bom negro e o bom branco
Da Nação Brasileira
Dizem todos os dias
Deixa disso camarada
Me dá um cigarro

Essa negra Fulô

Jorge de Lima

Ora, se deu que chegou
(isso já faz muito tempo)
no bangüê dum meu avô
uma negra bonitinha
chamada negra Fulô.

> Essa negra Fulô!
> Essa negra Fulô!

Ó Fulô! Ó Fulô!
(Era a fala da Sinhá)
– Vai forrar a minha cama,
pentear os meus cabelos,
vem ajudar a tirar
a minha roupa, Fulô!

> Essa negra Fulô!

Essa negrinha Fulô
ficou logo pra mucama,
para vigiar a Sinhá
pra engomar pro Sinhô!

Essa negra Fulô!
Essa negra Fulô!

Ó Fulô! Ó Fulô!
(Era a fala da Sinhá)
vem me ajudar, ó Fulô,
vem abanar o meu corpo
que eu estou suada, Fulô!

vem coçar minha coceira,
vem me catar cafuné,
vem balançar minha rede,
vem me contar uma história,
que eu estou com sono, Fulô!

Essa negra Fulô!

"Era um dia uma princesa
que vivia num castelo
que possuía um vestido
com os peixinhos do mar.
Entrou na perna dum pato
saiu na perna dum pinto
o Rei-Sinhô me mandou
que vos contasse mais cinco."

Essa negra Fulô!
Essa negra Fulô!

Ó Fulô? Ó Fulô?
Vai botar para dormir
esses meninos, Fulô!
"Minha mãe me penteou
minha madrasta me enterrou
pelos figos da figueira
que o Sabiá beliscou."

Essa negra Fulô!
Essa negra Fulô!

Fulô? Ó Fulô?
(Era a fala da Sinhá
chamando a Negra Fulô.)
Cadê meu frasco de cheiro
que teu Sinhô me mandou?

– Ah! foi você que roubou!
Ah! foi você que roubou!

O Sinhô foi ver a negra
levar couro do feitor
A negra tirou a roupa.

O Sinhô disse: Fulô!
(A vista se escureceu
que nem a negra Fulô.)

Essa negra Fulô!
Essa negra Fulô!

Ó Fulô? Ó Fulô?
Cadê meu lenço de rendas
cadê meu cinto, meu broche,

cadê meu terço de ouro
que teu Sinhô me mandou?
Ah! foi você que roubou.
Ah! foi você que roubou.

Essa negra Fulô!
Essa negra Fulô!

O Sinhô foi açoitar
sozinho a negra Fulô.
A negra tirou a saia
e tirou o cabeção,
de dentro dele pulou
nuinha a negra Fulô.

Essa negra Fulô!
Essa negra Fulô!

Ó Fulô? Ó Fulô?
Cadê, cadê teu Sinhô
que nosso Senhor me mandou?
Ah! foi você que roubou,
foi você, negra Fulô?

Essa negra Fulô!

Poema do beco

Manuel Bandeira

Que importa a paisagem, a Glória, a baía, a linha do horizonte?
– O que eu vejo é o beco.

"Sobre um mar de rosas que arde"

Pedro Kilkerry

Sobre um mar de rosas que arde
Em ondas fulvas, distante,
Erram meus olhos, diamante,
Como as naus dentro da tarde.

Asas no azul, melodias,
E as horas são velas fluidas
Da nau em que, oh! alma, descuidas
Das esperanças tardias.

Ismália

Alphonsus de Guimaraens

Quando Ismália enlouqueceu,
Pôs-se na torre a sonhar...
Viu uma lua no céu,
Viu outra lua no mar.

No sonho em que se perdeu,
Banhou-se toda em luar...
Queria subir ao céu,
Queria descer ao mar...

E no desvario seu,
Na torre pôs-se a cantar...
Estava perto do céu,
Estava longe do mar...

E como um anjo pendeu
As asas para voar...
Queria a lua do céu,
Queria a lua do mar...

Ismália

As asas que Deus lhe deu
Ruflaram de par em par...
Sua alma subiu ao céu,
Seu corpo desceu ao mar...

Cais matutino

Ribeiro Couto

Mercado do peixe, mercado da aurora:
Cantigas, apelos, pregões e risadas
À proa dos barcos que chegam de fora.

Cordames e redes dormindo no fundo;
À popa estendidas, as velas molhadas;
Foi noite de chuva nos mares do mundo.

Pureza do largo, pureza da aurora.
Há viscos de sangue no solo da feira.
Se eu tivesse um barco, partiria agora.

O longe que aspiro no vento salgado
Tem gosto de um corpo que cintila e cheira
Para mim sozinho, num mar ignorado.

Vou-me embora pra Pasárgada

Manuel Bandeira

Vou-me embora pra Pasárgada
Lá sou amigo do rei
Lá tenho a mulher que eu quero
Na cama que escolherei
Vou-me embora pra Pasárgada

Vou-me embora pra Pasárgada
Aqui eu não sou feliz
Lá a existência é uma aventura
De tal modo inconseqüente
Que Joana a Louca de Espanha
Rainha e falsa demente
Vem a ser contraparente
Da nora que nunca tive

E como farei ginástica
Andarei de bicicleta
Montarei em burro brabo
Subirei no pau-de-sebo

Tomarei banhos de mar!
E quando estiver cansado
Deito na beira do rio
Mando chamar a mãe-d'água.
Pra me contar as histórias
Que no tempo de eu menino
Rosa vinha me contar
Vou-me embora pra Pasárgada

Em Pasárgada tem tudo
É outra civilização
Tem um processo seguro
De impedir a concepção
Tem telefone automático
Tem alcalóide à vontade
Tem prostitutas bonitas
Para a gente namorar

E quando eu estiver mais triste
Mas triste de não ter jeito
Quando de noite me der
Vontade de me matar
– Lá sou amigo do rei –
Terei a mulher que eu quero
Na cama que escolherei
Vou-me embora pra Pasárgada.

Tristezas de um quarto minguante

Augusto dos Anjos

Quarto Minguante! E, embora a lua o aclare,
Este *Engenho Pau d'Arco* é muito triste...
Nos engenhos da *várzea* não existe
Talvez um outro que se lhe equipare!

Do observatório em que eu estou situado
A lua magra, quando a noite cresce,
Vista, através do vidro azul, parece
Um paralelepípedo quebrado!

O sono esmaga o encéfalo do povo.
Tenho 300 quilos no epigastro...
Dói-me a cabeça. Agora a cara do astro
Lembra a metade de uma casca de ovo.

Diabo! Não ser mais tempo de milagre!
Para que esta opressão desapareça
Vou amarrar um pano na cabeça,
Molhar a minha fronte com vinagre.

Aumentam-se-me então os grandes medos.
O hemisfério lunar se ergue e se abaixa
Num desenvolvimento de borracha,
Variando à ação mecânica dos dedos!

Vai-me crescendo a aberração do sonho.
Morde-me os nervos o desejo doudo
De dissolver-me, de enterrar-me todo
Naquele semicírculo medonho!

Mas tudo isto é ilusão de minha parte!
Quem sabe se não é porque não saio
Desde que, 6ª feira, 3 de maio,
Eu escrevi os meus Gemidos de Arte?!

A lâmpada a estirar línguas vermelhas
Lambe o ar. No bruto horror que me arrebata,
Como um degenerado psicopata
Eis-me a contar o número das telhas!

– Uma, duas, três, quatro... E aos tombos, tonta
Sinto a cabeça e a conta perco; e, em suma,
A conta recomeço, em ânsias: – Uma...
Mas novamente eis-me a perder a conta!

Sucede a uma tontura outra tontura.
– Estarei morto?! E a esta pergunta estranha
Responde a Vida – aquela grande aranha
Que anda tecendo a minha desventura! –

A luz do quarto diminuindo o brilho
Segue todas as fases de um eclipse...
Começo a ver coisas de Apocalipse
No triângulo escaleno do ladrilho!

Deito-me enfim. Ponho o chapéu num gancho.
Cinco lençóis balançam numa corda,
Mas aquilo mortalhas me recorda,
E o amontoamento dos lençóis desmancho.

Vêm-me à imaginação sonhos dementes.
Acho-me, por exemplo, numa festa...
Tomba uma torre sobre a minha testa,
Caem-me de uma só vez todos os dentes!

Então dois ossos roídos me assombraram...
– "Por ventura haverá quem queira roer-nos?!
Os vermes já não querem mais comer-nos
E os formigueiros já nos desprezaram."

Figuras espectrais de bocas tronchas
Tornam-me o pesadelo duradouro...
Choro e quero beber a água do choro
Com as mãos dispostas à feição de conchas.

Tal uma planta aquática submersa,
Antegozando as últimas delícias
Mergulho as mãos – vis raízes adventícias –
No algodão quente de um tapete persa.

Por muito tempo rolo no tapete.
Súbito me ergo. A lua é morta. Um frio
Cai sobre o meu estômago vazio
Como se fosse um copo de sorvete!

A alta frialdade me insensibiliza;
O suor me ensopa. Meu tormento é infindo...
Minha família ainda está dormindo
E eu não posso pedir outra camisa!

Abro a janela. Elevam-se fumaças
Do engenho enorme. A luz fulge abundante
E em vez do sepulcral Quarto Minguante
Vi que era o sol batendo nas vidraças.

Pelos respiratórios tênues tubos
Dos poros vegetais, no ato da entrega
Do mato verde, a terra resfolega
Estrumada, feliz, cheia de adubos.

Côncavo, o céu, radiante e estriado, observa
A universal criação. Broncos e feios,
Vários reptis cortam os campos, cheios
Dos tenros tinhorões e da úmida erva.

Babujada por baixos beiços brutos,
No húmus feraz, hierática, se ostenta
A monarquia da árvore opulenta
Que dá aos homens o óbolo dos frutos.

De mim diverso, rígido e de rastos
Com a solidez do tegumento sujo
Sulca, em diâmetro, o solo um caramujo
Naturalmente pelos mata-pastos.

Entretanto, passei o dia inquieto,
A ouvir, nestes bucólicos retiros,
Toda a salva fatal de 21 tiros
Que festejou os funerais de Hamleto!

Ah! Minha ruína é pior do que a de Tebas!
Quisera ser, numa última cobiça,
A fatia esponjosa de carniça
Que os corvos comem sobre as jurubebas!

Porque, longe do pão com que me nutres
Nesta hora, oh! Vida em que a sofrer me exortas
Eu estaria como as bestas mortas
Pendurado no bico dos abutres!

Pneumotórax

Manuel Bandeira

Febre, hemoptise, dispnéia e suores noturnos.
A vida inteira que podia ter sido e que não foi.
Tosse, tosse, tosse.

Mandou chamar o médico:

– Diga trinta e três.
– Trinta e três... trinta e três... trinta e três...
– Respire.

....

– O senhor tem uma escavação no pulmão esquerdo e o pulmão direito infiltrado.
– Então, doutor, não é possível tentar o pneumotórax?
– Não. A única coisa a fazer é tocar um tango argentino.

Coração numeroso

Carlos Drummond de Andrade

Foi no Rio.
Eu passava na Avenida quase meia-noite.
Bicos de seio batiam nos bicos de luz estrelas inumeráveis.
Havia a promessa do mar
e bondes tilintavam,
abafando o calor
que soprava no vento
e o vento vinha de Minas.

Meus paralíticos sonhos desgosto de viver
(a vida para mim é vontade de morrer)
faziam de mim homem-realejo imperturbavelmente
na Galeria Cruzeiro quente quente
e como não conhecia ninguém a não ser o doce vento mineiro,
nenhuma vontade de beber, eu disse: Acabemos com isso.

Mas tremia na cidade uma fascinação casas compridas
autos abertos correndo caminho do mar
voluptuosidade errante do calor
mil presentes da vida aos homens indiferentes,
que meu coração bateu forte, meus olhos inúteis choraram.

O mar batia em meu peito, já não batia no cais.
A rua acabou, quede as árvores? a cidade sou eu
a cidade sou eu
sou eu a cidade
meu amor.

Carlos Drummond de Andrade © Graña Drummond / www.carlosdrummond.com.br

Versos íntimos

Augusto dos Anjos

Vês! Ninguém assistiu ao formidável
Enterro de tua última quimera.
Somente a Ingratidão – esta pantera –
Foi tua companheira inseparável!

Acostuma-se à lama que te espera!
O Homem, que, nesta terra miserável,
Mora, entre feras, sente inevitável
Necessidade de também ser fera.

Toma um fósforo. Acende teu cigarro!
O beijo, amigo, é a véspera do escarro,
A mão que afaga é a mesma que apedreja.

Se a alguém causa inda pena a tua chaga,
Apedreja essa mão vil que te afaga,
Escarra nessa boca que te beija!

In extremis

Olavo Bilac

Nunca morrer assim! Nunca morrer num dia
Assim! de um sol assim!
                              Tu, desgrenhada e fria,
Fria! postos nos meus os teus olhos molhados,
E apertando nos teus os meus dedos gelados...

E um dia assim! de um sol assim! E assim a esfera
Toda azul, no esplendor do fim da primavera!
Asas, tontas de luz, cortando o firmamento!
Ninhos cantando! Em flor a terra toda! O vento
Despencando os rosais, sacudindo o arvoredo...

E, aqui dentro, o silêncio... E este espanto! e
                              [este medo!
Nós dois... e, entre nós dois, implacável e forte,
A arredar-me de ti, cada vez mais, a morte...

Eu, com o frio a crescer no coração, – tão cheio
De ti, até no horror do derradeiro anseio!
Tu, vendo retorcer-se amarguradamente,
A boca que beijava a tua boca ardente,
A boca que foi tua!

        E eu morrendo! e eu morrendo
Vendo-te, e vendo o sol, e vendo o céu, e vendo
Tão bela palpitar nos teus olhos, querida,
A delícia da vida! a delícia da vida!

Na boca

Manuel Bandeira

Sempre tristíssimas estas cantigas de carnaval
Paixão
Ciúme
Dor daquilo que não se pode dizer

Felizmente existe o álcool na vida
E nos três dias de carnaval éter de lança-perfume
Quem me dera ser como o rapaz desvairado!
O ano passado ele parava diante das mulheres bonitas
E gritava pedindo o esguicho de cloretilo:
– Na boca! Na boca!
Umas davam-lhe as costas com repugnância
Outras porém faziam-lhe a vontade.

Ainda existem mulheres bastante puras para fazer vontade aos viciados

Dorinha meu amor...
Se ela fosse bastante pura eu iria agora gritar-lhe como o outro:
[– Na boca! Na boca!

Mapa

Murilo Mendes

Me colaram no tempo, me puseram
uma alma viva e um corpo desconjuntado. Estou
limitado ao norte pelos sentidos, ao sul pelo medo,
a leste pelo Apóstolo São Paulo, a oeste pela minha educação.
Me vejo numa nebulosa, rodando, sou um fluído,
depois chego à consciência da terra, ando como os outros,
me pregam numa cruz, numa única vida.
Colégio. Indignado, me chamam pelo número, detesto a hierarquia.
Me puseram o rótulo de homem, vou rindo, vou andando, aos solavancos.
Danço. Rio e choro, estou aqui, estou ali, desarticulado,
gosto de todos, não gosto de ninguém, batalho com os espíritos do ar,
alguém da terra me faz sinais, não sei mais o que é o bem
nem o mal.
Minha cabeça voou acima da baía, estou suspenso, angustiado, no éter,
tonto de vidas, de cheiros, de movimentos, de pensamentos,
não acredito em nenhuma técnica.
Estou com os meus antepassados, me balanço em arenas espanholas,
é por isso que saio às vezes pra rua combatendo personagens imaginários,

depois estou com os meus tios doidos, às gargalhadas,
na fazenda do interior, olhando os girassóis do jardim.
Estou no outro lado do mundo, daqui a cem anos, levantando populações...
Me desespero porque não posso estar presente a todos os atos da vida.
Onde esconder minha cara? O mundo samba na minha cabeça.
Triângulos, estrelas, noite, mulheres andando,
presságios brotando no ar, diversos pesos e movimentos me chamam a atenção,
o mundo vai mudar a cara,
a morte revelará o sentido verdadeiro das coisas.

Andarei no ar.
Estarei em todos os nascimentos e em todas as agonias,
me aninharei nos recantos do corpo da noiva,
na cabeça dos artistas doentes, dos revolucionários.
Tudo transparecerá:
vulcões de ódio, explosões de amor, outras caras aparecerão na terra,
o vento que vem da eternidade suspenderá os passos,
dançarei na luz dos relâmpagos, beijarei sete mulheres,
vibrarei nos cangerês do mar, abraçarei as almas no ar,
me insinuarei nos quatro cantos do mundo.

Almas desesperadas eu vos amo. Almas insatisfeitas, ardentes.
Detesto os que se tapeiam,
os que brincam de cabra-cega com a vida, os homens "práticos"...
Viva São Francisco e vários suicidas e amantes suicidas,
os soldados que perderam a batalha, as mães bem mães,
as fêmeas bem fêmeas, os doidos bem doidos.
Vivam os transfigurados, ou porque eram perfeitos ou porque jejuavam muito...
viva eu, que inauguro no mundo o estado de bagunça transcendente.
Sou a presa do homem que fui há vinte anos passados,
dos amores raros que tive,

vida de planos ardentes, desertos vibrando sob os dedos do amor,
tudo é ritmo do cérebro do poeta. Não me inscrevo em nenhuma teoria,
estou no ar,
na alma dos criminosos, dos amantes desesperados,
no meu quarto modesto da praia de Botafogo,
no pensamento dos homens que movem o mundo,
nem triste nem alegre, chama com dois olhos andando,
sempre em transformação.

No meio do caminho

Carlos Drummond de Andrade

No meio do caminho tinha uma pedra
tinha uma pedra no meio do caminho
tinha uma pedra
no meio do caminho tinha uma pedra.

Nunca me esquecerei desse acontecimento
na vida de minhas retinas tão fatigadas.
Nunca me esquecerei que no meio do caminho
tinha uma pedra
tinha uma pedra no meio do caminho
no meio do caminho tinha uma pedra.

A alvorada do amor

Olavo Bilac

Um horror grande e mudo, um silêncio profundo
No dia do Pecado amortalhava o mundo.
E Adão, vendo fechar-se a porta do Éden, vendo
Que Eva olhava o deserto e hesitava tremendo,
Disse:

      "Chega-te a mim! entra no meu amor,
E à minha carne entrega a tua carne em flor!
Preme contra o meu peito o teu seio agitado,
E aprende a amar o Amor, renovando o pecado!
Abençôo o teu crime, acolho o teu desgosto,
Bebo-te, de uma em uma, as lágrimas do rosto!

Vê! tudo nos repele! a toda a criação
Sacode o mesmo horror e a mesma indignação...
A cólera de Deus torce as árvores, cresta
Como um tufão de fogo o seio da floresta,
Abre a terra em vulcões, encrespa a água dos rios;
As estrelas estão cheias de calefrios;
Ruge soturno o mar; turva-se hediondo o céu...

Vamos! que importa Deus? Desata, como um véu,
Sobre a tua nudez a cabeleira! Vamos!
Arda em chamas o chão; rasguem-te a pele os ramos;
Morda-te o corpo o sol; injuriem-te os ninhos;
Surjam feras a uivar de todos os caminhos;
E, vendo-te a sangrar das urzes através,
Se emaranhem no chão as serpes aos teus pés...
Que importa? o Amor, botão apenas entreaberto,
Ilumina o degredo e perfuma o deserto!
Amo-te! sou feliz! porque, do Éden perdido,
Levo tudo, levando o teu corpo querido!

Pode, em redor de ti, tudo se aniquilar:
– Tudo renascerá cantando ao teu olhar,
Tudo, mares e céus, árvores e montanhas,
Porque a Vida perpétua arde em tuas entranhas!
Rosas te brotarão da boca, se cantares!
Rios te correrão dos olhos, se chorares!
E se, em torno ao teu corpo encantador e nu,
Tudo morrer, que importa? A Natureza és tu,
Agora que és mulher, agora que pecaste!

Ah! bendito o momento em que me revelaste
O amor com o teu pecado, e a vida com o teu crime!
Porque, livre de Deus, redimido e sublime,
Homem fico, na terra, à luz dos olhos teus,
– Terra, melhor que o Céu! homem, maior que Deus!"

"Lépida e leve"

Gilka Machado

Lépida e leve
em teu labor que, de expressões à míngua,
o verso não descreve...
Lépida e leve,
guardas, ó língua, em teu labor,
gostos de afago e afagos de sabor.

És tão mansa e macia,
que teu nome a ti mesma acaricia,
que teu nome por ti roça, flexuosamente,
como rítmica serpente,
e se faz menos rudo,
o vocábulo, ao teu contacto de veludo.

Dominadora do desejo humano,
estatuária da palavra,
ódio, paixão, mentira, desengano,
por ti que incêndio no Universo lavra!...
És o réptil que voa,

o divino pecado
que as asas musicais, às vezes, solta, à toa,
e que a Terra povoa e despovoa,
quando é de seu agrado.

Sol dos ouvidos, sabiá do tato,
ó língua-idéia, ó língua-sensação,
em que olvido insensato,
em que tolo recato,
te hão deixado o louvor, a exaltação!

– Tu que irradiar pudeste os mais formosos poemas!
– Tu que orquestrar soubeste as carícias supremas!
Dás corpo ao beijo, dás antera à boca, és um tateio de
alucinação,
és o elastério da alma... Ó minha louca
língua, do meu Amor penetra a boca,
passa-lhe em todo senso tua mão,
enche-o de mim, deixa-me oca...
– Tenho certeza, minha louca,
de lhe dar a morder em ti meu coração!...

Língua do meu Amor velosa e doce,
que me convences de que sou frase,
que me contornas, que me vestes quase,
como se o corpo meu de ti vindo me fosse.
Língua que me cativas, que me enleias
os surtos de ave estranha,
em linhas longas de invisíveis teias,
de que és, há tanto, habilidosa aranha...

Língua-lâmina, língua-labareda,
língua-linfa, coleando, em deslizes de seda...
Força inféria e divina
faz com que o bem e o mal resumas,
língua-cáustica, língua-cocaína,
língua de mel, língua de plumas?...

Amo-te as sugestões gloriosas e funestas,
amo-te como todas as mulheres
te amam, ó língua-lama, ó língua-resplendor,
pela carne de som que à idéia emprestas
e pelas frases mudas que proferes
nos silêncios de Amor!...

Pero Vaz Caminha

Oswald de Andrade

a descoberta

Seguimos nosso caminho por este mar de longo
Até a oitava da Páscoa
Topamos aves
E houvemos vista de terra

os selvagens

Mostraram-lhes uma galinha
Quase haviam medo dela
E não queriam pôr a mão
E depois a tomaram como espantados

primeiro chá

Depois de dançarem
Diogo Dias
Fez o salto real

Pero Vaz Caminha

as meninas da gare

Eram três ou quatro moças bem moças e bem gentis
Com cabelos mui pretos pelas espáduas
E suas vergonhas tão altas e tão saradinhas
Que de nós as muito bem olharmos
Não tínhamos nenhuma vergonha

Minuano

Augusto Meyer

Este vento faz pensar no campo, meus amigos,
Este vento vem de longe, vem do pampa e do céu.

Olá compadre, levanta a poeira em corrupios,
Assobia e zune encanado na aba do chapéu.

Curvo, o chorão arrepia a grenha fofa,
Giram na dança de roda as folhas mortas
Chaminés botam fumaça horizontal ao sopro louro
E a vaia fina fura a frincha das portas.

Olá compadre, mais alto, mais alto!

As ondas roxas do rio rolando a espuma
Batem nas pedras da praia o tapa claro...
Esfarrapadas, nuvens nuvens galopeiam
No céu gelado, altura azul.

Este vento macho é um batismo de orgulho.
Quando passa lava a cara, enfuna o peito,
Varre a cidade onde eu nasci sobre a coxilha.

Não sou daqui, sou lá de fora...
Ouço o meu grito gritar na voz do vento:
– Mano Poeta, se enganche na minha garupa!

Comedor de horizontes,
Meu compadre andarengo, entra!

Que bem me faz o teu galope de três dias
Quando se atufa zunindo na noite gelada...

     Ó mano
     Minuano
     Upa upa
     Na garupa!

Casuarinas cinamomos pinhais
Largo lamento gemido imenso, vento!
Minha infância tem a voz do vento virgem:
Ele ventava sobre o rancho onde morei.

Todas as vozes numa voz, todas as dores numa dor,
Todas as raivas na raiva do meu vento!
Que bem me faz! mais alto, compadre!
Derruba a casa! me leva junto! eu quero o longe!
Não sou daqui, sou lá de fora, ouve o meu grito!

Eu sou o irmão das solidões sem sentido...
Upa upa sobre o pampa e sobre o mar...

Filosofia

Ascenso Ferreira

(A José Pereira de Araújo – "Doutorzinho de Escada")

Hora de comer – comer!
      Hora de dormir – dormir!
Hora de vadiar – vadiar!

Hora de trabalhar?
– Pernas pro ar que ninguém é de ferro!

Cobra Norato
(trechos)

Raul Bopp

I

Um dia
eu hei de morar nas terras do Sem-fim

Vou andando caminhando caminhando
Me misturo no ventre do mato mordendo raízes

Depois
faço puçanga de flor de tajá de lagoa
e mando chamar a Cobra Norato

– Quero contar-te uma história
Vamos passear naquelas ilhas decotadas?
Faz de conta que há luar

A noite chega mansinho
Estrelas conversam em voz baixa
Brinco então de amarrar uma fita no pescoço
e estrangulo a Cobra.

Agora sim
me enfio nessa pele de seda elástica
e saio a correr mundo

Vou visitar a rainha Luzia
Quero me casar com sua filha
– Então você tem que apagar os olhos primeiro
O sono escorregou nas pálpebras pesadas
Um chão de lama rouba a força dos meus passos

II

Começa agora a floresta cifrada

A sombra escondeu as árvores
Sapos beiçudos espiam no escuro

Aqui um pedaço de mato está de castigo
Arvorezinhas acocoram-se no charco
Um fio de água atrasada lambe a lama

– Eu quero é ver a filha da rainha Luzia!

Agora são os rios afogados
bebendo o caminho
A água resvala pelos atoleiros
afundando afundando
Lá adiante
a areia guardou os rastos da filha da rainha Luzia

– Agora sim
vou ver a filha da rainha Luzia

Mas antes tem que passar por sete portas
Ver sete mulheres brancas de ventres despovoados
guardadas por um jacaré

– Eu só quero a filha da rainha Luzia

Tem que entregar a sombra para o Bicho do Fundo
Tem que fazer mirongas na lua nova
Tem que beber três gotas de sangue

– Ah só se for da filha da rainha Luzia!

A selva imensa está com insônia

Bocejam árvores sonolentas
Ai que a noite secou. A água do rio se quebrou
Tenho que ir-me embora

Me sumo sem rumo no fundo do mato
onde as velhas árvores grávidas cochilam

De todos os lados me chamam
– Onde vais Cobra Norato?
Tenho aqui três arvorezinhas jovens à tua espera

– Não posso
Eu hoje vou dormir com a filha da rainha Luzia

III

Sigo depressa machucando a areia
Erva-picão me arranhou
Caules gordos brincam de afundar na lama
Galhinhos fazem *psiu*

Deixa eu passar que vou pra longe

Moitas de tiririca entopem o caminho

– Ai Pai-do-mato!
quem me quebrou com mau-olhado
e virou meu rasto no chão?
Ando já com os olhos murchos
de tanto procurar a filha da rainha Luzia

O resto da noite me enrola

A terra agora perde o fundo
Um charco de umbigo mole me engole

Onde irei eu
que já estou com o sangue doendo
das mirongas da filha da rainha Luzia?

IV

Esta é a floresta de hálito podre
parindo cobras

Rios magros obrigados a trabalhar
A correnteza se arrepia
descascando as margens gosmentas

Raízes desdentadas mastigam lodo

Num estirão alagado
o charco engole a água do igarapé

Fede
O vento mudou de lugar

Um assobio assusta as árvores
Silêncio se machucou
Cai lá adiante um pedaço de pau seco:
Pum

Um berro atravessa a floresta
Chegam outras vozes

O rio se engasgou num barranco

Espia-me um sapo sapo
Aqui tem cheiro de gente
– Quem é você?

– Sou a Cobra Norato
Vou me amasiar com a filha da rainha Luzia

V

Aqui é a escola das árvores
Estão estudando geometria

– Vocês são cegos de nascença. Têm que obedecer ao rio

– Ai ai! Nós somos escravas do rio

– Vocês estão condenadas a trabalhar sempre sempre
Têm a obrigação de fazer folhas para cobrir a floresta
– Ai ai! Nós somos escravas do rio

– Vocês têm que afogar o homem na sombra
A floresta é inimiga do homem
– Ai ai! Nós somos escravas do rio

Atravesso paredes espessas
Ouço gritos miúdos de ai-me-acuda:
Estão castigando os pássaros

– Se não sabem a lição vocês têm que ser árvores
– Ai ai ai ai...

– O que é que você vai fazer lá em cima?

– Tenho que anunciar a lua
quando ela se levanta atrás do mato

– E você?
– Tenho que acordar as estrelas
em noites de São João

– E você?
– Tenho que marcar as horas no fundo da selva

Tiúg... Tiúg... Tiúg...
Twi. Twi-twi.

XXXII

– E agora, compadre
vou de volta pro Sem-fim

Vou lá para as terras altas
onde a serra se amontoa
onde correm os rios de águas claras
entre moitas de molungu

Quero levar minha noiva
Quero estarzinho com ela
numa casa de morar
com porta azul piquininha
pintada a lápis de cor

Quero sentir a quentura
do seu corpo de vaivém
Querzinho de ficar junto
quando a gente quer bem bem

Ficar à sombra do mato
ouvir a jurucutu
águas que passam cantando
pra gente se espreguiçar

E quando estivermos à espera
que a noite volte outra vez
hei de lhe contar histórias
escrever nomes na areia
pro vento brincar de apagar

XXXIII

Pois é, compadre
Siga agora o seu caminho

Procure minha madrinha Maleita
diga que eu vou me casar
que eu vou vestir minha noiva
com um vestidinho de flor

Quero uma rede bordada
com ervas de espalhar cheiroso
e um tapetinho titinho
de penas de irapuru

No caminho
vá convidando gente pro Caxiri grande

Haverá muita festa
durante sete luas sete sóis

Traga a Joaninha Vintém o Pajé-pato Boi-Queixume
Não se esqueça dos Xicos Maria-Pitanga o João Ternura

O Augusto Meyer Tarsila Tatizinha
Quero povo de Belém de Porto Alegre de São Paulo

– Pois então até breve, compadre
Fico le esperando
atrás das serras do Sem-fim

Belo belo

Manuel Bandeira

Belo belo minha bela
Tenho tudo que não quero
Não tenho nada que quero
Não quero óculos nem tosse
Nem obrigação de voto
Quero quero
Quero a solidão dos píncaros
A água da fonte escondida
A rosa que floresceu
Sobre a escarpa inacessível
A luz da primeira estrela
Piscando no lusco-fusco
Quero quero
Quero dar a volta ao mundo
Só num navio de vela
Quero rever Pernambuco
Quero ver Bagdá e Cusco
Quero quero
Quero o moreno de Estela

Quero a brancura de Elisa
Quero a saliva de Bela
Quero as sardas de Adalgisa
Quero quero tanta coisa
Belo belo
Mas basta de lero-lero
Vida noves fora zero.

Segunda Parte

Educação sentimental

Depois dos abalos da fase mais radical do espírito modernista nos anos 10 e 20, a poesia brasileira se reencontra com as fontes lingüísticas de nosso ser ibérico e lusitano e, ao longo das décadas de 1930 a 1960, nossos grandes poetas escrevem lindos poemas líricos, de que apresentamos aqui uma seleção. Estes são alguns dos poemas que o século 20 deixa para o 21, em prol da educação sentimental e existencial das gerações por vir. Aqui a literatura atinge graus de beleza tão eternos e atuais quanto as canções produzidas pela mais brasileira das artes, a música popular. E muitas vezes nossa música foi buscar suas letras na própria poesia, como no caso de "Motivo" (Cecília Meireles) e "A rosa de Hiroxima" (Vinicius de Moraes). A lírica brasileira do século 20 fala modernamente de temas eternos: da dor e da delícia de existir, do amor e do desejo, da angústia diante da morte própria e/ou do ser amado, da nostalgia da infância, da beleza fugaz do adolescente e do atleta. São vislumbres do eterno na fugacidade do tempo.

Confidência do itabirano

Carlos Drummond de Andrade

Alguns anos vivi em Itabira.
Principalmente nasci em Itabira.
Por isso sou triste, orgulhoso: de ferro.
Noventa por cento de ferro nas calçadas.
Oitenta por cento de ferro nas almas.
E esse alheamento do que na vida é porosidade e comunicação.

A vontade de amar, que me paralisa o trabalho,
vem de Itabira, de suas noites brancas, sem mulheres e sem horizontes.

E o hábito de sofrer, que tanto me diverte,
é doce herança itabirana.

De Itabira trouxe prendas diversas que ora te ofereço:
este São Benedito do velho santeiro Alfredo Duval;
esta pedra de ferro, futuro aço do Brasil;
este couro de anta, estendido no sofá da sala de visitas;
este orgulho, esta cabeça baixa...

Tive ouro, tive gado, tive fazendas.
Hoje sou funcionário público
Itabira é apenas uma fotografia na parede.
Mas como dói!

Motivo

Cecília Meireles

Eu canto porque o instante existe
e a minha vida está completa.
Não sou alegre nem sou triste:
sou poeta.

Irmão das coisas fugidias,
não sinto gozo nem tormento.
Atravesso noites e dias
no vento.

Se desmorono ou se edifico,
se permaneço ou me desfaço,
– não sei, não sei. Não sei se fico
ou passo.

Sei que canto. E a canção é tudo.
Tem sangue eterno a asa ritmada.
E um dia sei que estarei mudo:
– mais nada.

Soneto de fidelidade

Vinicius de Moraes

De tudo, ao meu amor serei atento
Antes, e com tal zelo, e sempre, e tanto
Que mesmo em face do maior encanto
Dele se encante mais meu pensamento.

Quero vivê-lo em cada vão momento
E em seu louvor hei de espalhar meu canto
E rir meu riso e derramar meu pranto
Ao seu pesar ou seu contentamento.

E assim, quando mais tarde me procure
Quem sabe a morte, angústia de quem vive
Quem sabe a solidão, fim de quem ama

Eu possa me dizer do amor (que tive):
Que não seja imortal, posto que é chama
Mas que seja infinito enquanto dure.

Soneto
(Dezembro de 1937)

Mário de Andrade

Aceitarás o amor como eu o encaro?...
... Azul bem leve, um nimbo, suavemente
Guarda-te a imagem, como um anteparo
Contra estes móveis de banal presente.

Tudo o que há de milhor e de mais raro
Vive em teu corpo nu de adolescente,
A perna assim jogada e o braço, o claro
Olhar preso no meu, perdidamente.

Não exijas mais nada. Não desejo
Também mais nada, só te olhar, enquanto
A realidade é simples, e isto apenas.

Que grandeza... A evasão total do pejo
Que nasce das imperfeições. O encanto
Que nasce das adorações serenas.

Estudo para uma ondina

Murilo Mendes

Esta manhã o mar acumula ao teu pé rosas de areia,
Balançando as conchas de teus quadris.
Ele te chama para as longas navegações:
Tua boca, tuas pernas teu sexo teus olhos escutaram.

Só teus ouvidos é que não escutaram, ondina.
Minha mão lúcida sacode a floresta do teu maiô.
Ao longe ouço a trompa da caçada às sereias
E um peixe vermelho faz todo o oceano tremer.

Tens quinze anos porque já tens vinte e sete,
Tens um ano apenas...
Agora mesmo nasceste da espuma,
E na incisão do ar líquido alcanças o amor dos elementos.

Poema patético

Emílio Moura

Como a voz de um pequeno braço de mar perdido dentro de uma
[caverna,
Como um abafado soluço que irrompesse de súbito de um quarto
[fechado,
Ouço-te, agora, a voz, ó meu desejo, e instintivamente recuo até as
[origens de minha angústia,
Policiada e vencida, oh! afinal vencida por tantos e tantos séculos de
[resignação e humildade.
Em que hora remota, em que época já tão distanciada, foi que os ares
[vibraram pela última vez, diante de teu último grito de rebeldia?
Quantas vezes, ó meu desejo, tu me obrigaste a acender grandes fogueiras
[dentro da noite.
E esperar, cantando, pela madrugada?
Mas, e hoje? Hoje a tua voz ressoa dentro de mim, como um cântico de
[órgão.
Como a voz de um pequeno braço de mar perdido dentro de uma
[caverna,

Como um abafado soluço que irrompesse, de súbito, de um quarto
[fechado.

José

Carlos Drummond de Andrade

E agora, José?
A festa acabou,
a luz apagou,
o povo sumiu,
a noite esfriou,
e agora, José?
e agora, você?
você que é sem nome,
que zomba dos outros,
você que faz versos,
que ama, protesta?
e agora, José?

Está sem mulher,
está sem discurso,
está sem carinho,
já não pode beber,
já não pode fumar,
cuspir já não pode,

a noite esfriou,
o dia não veio,
o bonde não veio,
o riso não veio,
não veio a utopia
e tudo acabou
e tudo fugiu
e tudo mofou,
e agora, José?

E agora, José?
sua doce palavra,
seu instante de febre,
sua gula e jejum,
sua biblioteca,
sua lavra de ouro,
seu terno de vidro,
sua incoerência,
seu ódio – e agora?

Com a chave na mão
quer abrir a porta,
não existe porta;
quer morrer no mar,
mas o mar secou;
quer ir para Minas,
Minas não há mais.
José, e agora?

Se você gritasse,
se você gemesse,
se você tocasse
a valsa vienense,
se você dormisse,

se você cansasse,
se você morresse...
Mas você não morre,
você é duro, José!

Sozinho no escuro
qual bicho-do-mato,
sem teogonia,
sem parede nua
para se encostar,
sem cavalo preto
que fuja a galope,
você marcha, José!
José, para onde?

Este é o lenço

Cecília Meireles

Este é o lenço de Marília,
pelas suas mãos lavrado,
nem a ouro nem a prata,
somente a ponto cruzado.
Este é o lenço de Marília
para o Amado.

Em cada ponta, um raminho,
preso num laço encarnado;
no meio, um cesto de flores,
por dois pombos transportado.
Não flores de amor-perfeito,
mas de malogrado!

Este é o lenço de Marília:
bem vereis que está manchado:
será do tempo perdido?
será do tempo passado?
Pela ferrugem das horas?

ou por molhado
em águas de algum arroio
singularmente salgado?

Finos azuis e vermelhos
do largo lenço quadrado,
– quem pintou nuvens tão negras
neste pano delicado,
sem dó de flores e de asas
nem do seu recado?

Este é o lenço de Marília,
por vento de amor mandado.
Para viver de suspiros
foi pela sorte fadado:
breves suspiros de amante,
– longos, de degredado!

Este é o lenço de Marília
nele vereis retratado
o destino dos amores
por um lenço atravessado:
que o lenço para os adeuses
e o pranto foi inventado.

Olhai os ramos de flores
de cada lado!
E os tristes pombos, no meio,
com o seu cestinho parado
sobre o tempo, sobre as nuvens
do mau fado!

Onde está Marília, a bela?
E Dirceu, com a lira e o gado?

As altas montanhas duras,
letra a letra, têm contado
sua história aos ternos rios,
que em ouro a têm soletrado...

E as fontes de longe miram
as janelas do sobrado.

Este é o lenço de Marília
para o Amado.

Eis o que resta dos sonhos:
um lenço deixado.

Pombos e flores, presentes.
Mas o resto, arrebatado.

Caiu a folha das árvores,
muita chuva tem gastado
pedras onde houvera lágrimas.
Tudo está mudado.

Este é o lenço de Marília
como foi bordado.
Só nuvens, só muitas nuvens
vêm pousando, têm pousado
entre os desenhos tão finos
de azul e encarnado.
Conta já século e meio
de guardado.

Que amores como este lenço
têm durado,
se este mesmo está durando
mais que o amor representado?

Emergência

Mario Quintana

Quem faz um poema abre uma janela.
Respira, tu que estás numa cela
abafada,
esse ar que entra por ela.
Por isso é que os poemas têm ritmo
– para que possas profundamente respirar.
Quem faz um poema salva um afogado.

"Há uma rosa caída"

Maria Ângela Alvim

Há uma rosa caída
Morta
Há uma rosa caída
Bela
Há uma rosa caída
Rosa

Canção elegíaca

Joaquim Cardozo

Quando os teus olhos fecharem
Para o esplendor deste mundo,
Num chão de cinza e fadigas
Hei de ficar de joelhos;
Quando os teus olhos fecharem
Hão de murchar as espigas,
Hão de cegar os espelhos.

Quando os teus olhos fecharem
E as tuas mãos repousarem
No peito frio e deserto,
Hão de morrer as cantigas;
Irá ficar desde e sempre
Entre ilusões inimigas,
Meu coração descoberto.

Ondas do mar – traiçoeiras –
A mim virão, de tão mansas,
Lamber os dedos da mão;

Serenas e comovidas
As águas regressarão
Ao seio das cordilheiras;
Quando os teus olhos fecharem
Hão de sofrer ternamente
Todas as coisas vencidas,
Profundas e prisioneiras;
Hão de cansar as distâncias,
Hão de fugir as bandeiras.

Sopro da vida sem margens,
Fase de impulsos extremos,
O teu hálito irá indo,
Longe e além reproduzindo
Como um vento que passasse
Em paisagens que não vemos;
Nas paisagens dos pintores
Comovendo os girassóis
Perturbando os crisantemos.

O teu ventre será terra
Erma, dormente e tranqüila
De savana e de paul;
Tua nudez será fonte,
Cingida de aurora verde,
A cantar saudade pura
De abril, de sonho, de azul
Fechados no anoitecer.

"Quando eu morrer quero ficar"

Mário de Andrade

Quando eu morrer quero ficar,
Não contem aos meus inimigos,
Sepultado em minha cidade,
            Saudade.

Meus pés enterrem na rua Aurora,
No Paiçandu deixem meu sexo,
Na Lopes Chaves a cabeça
            Esqueçam.

No Pátio do Colégio afundem
O meu coração paulistano:
Um coração vivo e um defunto
            Bem juntos.

Escondam no Correio o ouvido
Direito, o esquerdo nos Telégrafos,
Quero saber da vida alheia,
            Sereia.

O nariz guardem nos rosais,
A língua no alto do Ipiranga
Para cantar a liberdade.
      Saudade...

Os olhos lá no Jaraguá
Assistirão ao que há-de vir,
O joelho na Universidade,
      Saudade...

As mãos atirem por aí,
Que desvivam como viveram,
As tripas atirem pro Diabo,
Que o espírito será de Deus.
      Adeus.

Imagem

Dante Milano

Uma coisa branca,
Eis o meu desejo.

Uma coisa branca
De carne, de luz,

Talvez uma pedra,
Talvez uma testa,

Uma coisa branca.
Doce e profunda,

Nesta noite funda,
Fria e sem Deus.

Uma coisa branca,
Eis o meu desejo,

Que eu quero beijar,
Que eu quero abraçar,

Uma coisa branca
Para me encostar

E afundar o rosto.
Talvez um seio,

Talvez um ventre,
Talvez um braço,

Onde repousar.
Eis o meu desejo,

Uma coisa branca
Bem junto de mim,

Para me sumir,
Para me esquecer,

Nesta noite funda,
Fria e sem Deus.

Segunda canção de muito longe

Mario Quintana

Havia um corredor que fazia cotovelo:
Um mistério encanando com outro mistério, no escuro...

Mas vamos fechar os olhos
E pensar numa outra cousa...

Vamos ouvir o ruído cantado, o ruído arrastado das
                                    [correntes no algibe,
Puxando a água fresca e profunda.
Havia no arco do algibe trepadeiras trêmulas.
Nós nos debruçávamos à borda, gritando os nomes uns dos outros,
E lá dentro as palavras ressoavam fortes, cavernosas
                                    [como vozes de leões.
Nós éramos quatro, uma prima, dois negrinhos e eu.
Havia os azulejos reluzentes, o muro do quintal, que
                                    [limitava o mundo,
Uma paineira enorme e, sempre e cada vez mais, os
                                    [grilos e as estrelas...

Havia todos os ruídos, todas as vozes daqueles tempos...
As lindas e absurdas cantigas, tia Tula ralhando os
                                        [cachorros,
O chiar das chaleiras...
Onde andará agora o *pince-nez* da tia Tula
Que ela não achava nunca?
A pobre não chegou a terminar a Toutinegra do Moinho,
Que saía em folhetim no Correio do Povo!...
A última vez que a vi, ela ia dobrando aquele corredor
                                        [escuro.
Ia encolhida, pequenininha, humilde. Seus passos não
                                        [faziam ruído.
E ela nem se voltou para trás!

2º motivo da rosa

Cecília Meireles

A Mário de Andrade

Por mais que te celebre, não me escutas,
embora em forma e nácar te assemelhes
à concha soante, à musical orelha
que grava o mar nas íntimas volutas.

Deponho-te em cristal, defronte a espelhos,
sem eco de cisternas ou de grutas...
Ausências e cegueiras absolutas
ofereces às vespas e às abelhas.

E a quem te adora, ó surda e silenciosa,
e cega e bela e interminável rosa,
que em tempo e aroma e verso te transmutas!

Sem terra nem estrelas brilhas, presa
a meu sonho, insensível à beleza
que és e não sabes, porque não me escutas...

"Solilóquio sem fim e rio revolto"

Jorge de Lima

Solilóquio sem fim e rio revolto –
mas em voz alta, e sempre os lábios duros
ruminando as palavras, e escutando
o que é consciência, lógica ou absurdo.

A memória em vigília alcança o solto
perpassar de episódios, uns futuros
e outros passados, vagos, ondulando
num implacável estribilho surdo.

E tudo num refrão atormentado:
memória, raciocínio, descalabro...
Há também a janela da amplidão;

e depois da janela esse esperado
postigo, esse último portão que eu abro
para a fuga completa da razão.

Litogravura

Paulo Mendes Campos

Eu voltava cansado como um rio.
No Sumaré altíssimo pulsava
a torre de tevê, tristonha, flava.
Não: voltava humilhado como um tio
bêbado chega à casa de um sobrinho.
Pela ravina, lento, lentamente,
feria-se o luar, num desalinho
de prata sobre a Gávea de meus dias.
Os cães quedaram quietos bruscamente.
Foi no tempo dos bondes: vi um deles
raiar pelo Bar Vinte, borboleta
flamante, touro rútilo, cometa
que se atrasa no cosmo e desespera:
negra, na jaula em fuga, uma pantera.

Passei a mão nos olhos: suntuosa,
negra, na jaula em fuga, ia uma rosa.

Divisamos assim o adolescente

Mário Faustino

Divisamos assim o adolescente,
A rir, desnudo, em praias impolutas.
Amado por um fauno sem presente
E sem passado, eternas prostitutas
Velavam por seu sono. Assim, pendente
O rosto sobre o ombro, pelas grutas
Do tempo o contemplamos, refulgente
Segredo de uma concha sem volutas.
Infância e madureza o cortejavam,
Velhice vigilante o protegia.
E loucos e ladrões acalentavam
Seu sono suave, até que um deus fendia
O céu, buscando arrebatá-lo, enquanto
Durasse ainda aquele breve encanto.

Nadador

Cecília Meireles

O que me encanta é a linha alada
das tuas espáduas, e a curva
que descreves, pássaro da água!

É a tua fina, ágil cintura,
e esse adeus da tua garganta
para cemitérios de espuma!

É a despedida, que me encanta,
quando te desprendes ao vento,
fiel à queda, rápida e branda.

E apenas por estar prevendo,
longe, na eternidade da água,
sobreviver teu movimento...

Poema de Natal

Vinicius de Moraes

Para isso fomos feitos:
Para lembrar e ser lembrados
Para chorar e fazer chorar
Para enterrar os nossos mortos –
Por isso temos braços longos para os adeuses
Mãos para colher o que foi dado
Dedos para cavar a terra.

Assim será a nossa vida:
Uma tarde sempre a esquecer
Uma estrela a se apagar na treva
Um caminho entre dois túmulos –
Por isso precisamos velar
Falar baixo, pisar leve, ver
A noite dormir em silêncio.

Poema de Natal

Não há muito que dizer:
Uma canção sobre um berço
Um verso, talvez, de amor
Uma prece por quem se vai –
Mas que essa hora não esqueça
E por ela os nossos corações
Se deixem, graves e simples.

Pois para isso fomos feitos:
Para a esperança no milagre
Para a participação da poesia
Para ver a face da morte –
De repente nunca mais esperaremos...
Hoje a noite é jovem; da morte, apenas
Nascemos, imensamente.

Banho (rural)

Zila Mamede

De cabaça na mão, céu nos cabelos
à tarde era que a moça desertava
dos arenzés de alcova. Caminhando

um passo brando pelas roças ia
nas vingas nem tocando; reesmagava
na areia os próprios passos, tinha o rio

com margens engolidas por tabocas,
feito mais de abandono que de estrada
e muito mais de estrada que de rio

onde em cacimba e lodo se assentava
água salobre rasa. Salitroso
era o também caminho da cacimba

e mais: o salitroso era deserto.
A moça ali perdia-se, afundava-se
enchendo o vasilhame, aventurava

Banho (rural)

por longo capinzal, cantarolando;
desfibrava os cabelos, a rodilha
e seus vestidos, presos nos tapumes

velando vales, curvas e ravinas
(a rosa de seu ventre, sóis no busto)
libertas nesse banho vesperal.

Moldava-se em sabão, estremecida,
cada vez que dos ombros escorrendo
o frio d'água era carícia antiga.

Secava-se no vento, recolhia
só noite e essências, mansa carregando-as
na morna geografia de seu corpo.

Depois, voltava lentamente os rastos
em deriva à cacimba, se encontrava
nas águas: infinita, liquefeita.

Então era a moça regressava
tendo nos olhos cânticos e aromas
apreendidos no entardecer rural.

Luiz Vaz de Camões

Carlos Nejar

Não sou um tempo
ou uma cidade extinta.
Civilizei a língua
e foi reposta em cada verso.
E à fome, condenaram-me
os perversos e alguns
dos poderosos. Amei
a pátria injustamente
cega, como eu, num
dos olhos. E não pôde
ver-me enquanto vivo.
Regressarei a ela
com os ossos de meu sonho
precavido? E o idioma
não passa de um poema
salvo da espuma
e igual a mim, bebido
pelo sol de um país
que me desterra. E agora

me ergue no Convento
dos Jerônimos o túmulo,
quando não morri.
Não morrerei, não
quero mais morrer.
Nem sou cativo ou mendigo
de uma pátria. Mas da língua
que me conhece e espera.
E a razão que não me dais,
eu crio. Jamais pensei
ser pai de tantos filhos.

Grafito para Ipólita

Murilo Mendes

1

A tarde consumada. Ipólita desponta.

Ipólita, a putain do fim da infância,
Nascera em Juiz de Fora, a família em Ferrara.

Seus passos feminantes fundam o timbre.
Marcha, parece, ao som do gramofone.

A cabeleira-púbis, perturbante.
Os dedos prolongados em estiletes.

Os lábios escandindo a marselhesa
Do sexo. Os dentes mordem a matéria.

O olho meduseu sacode o espaço.
O corpo transmitindo e recebendo

O desejo o chacal a praga o solferino.
Pudesse eu decifrar sua íntima praça!

Expulsa o sol-e-dó, a professora, o ícone,
Só de vê-la passar, meu sangue inobre

Desata as rédeas ao cavalo interno.

2

Quando tarde a revejo, rio usado,
 Já a morte lhe prepara a ferramenta.

Deixa o teatro, a matéria fecal.
Pudesse eu libertar seu corpo (Minha cruzada!)

Quem sabe, agora redescobre o viso
Da sua primeira estrela, esquartejada.

3

Por ela meus sentidos progrediram.
Por ela fui voyeur antes do tempo.

4

O dia emagreceu. Ipólita desponta.

A rosa de Hiroxima

Vinicius de Moraes

Pensem nas crianças
Mudas telepáticas
Pensem nas meninas
Cegas inexatas
Pensem nas mulheres
Rotas alteradas
Pensem nas feridas
Como rosas cálidas
Mas oh não se esqueçam
Da rosa da rosa
Da rosa de Hiroxima
A rosa hereditária
A rosa radioativa
Estúpida e inválida
A rosa com cirrose
A anti-rosa atômica
Sem cor sem perfume
Sem rosa sem nada.

Terceira Parte

O cânone brasileiro

O cânone de uma literatura é formado por suas obras máximas, aquelas que constituem modelos de excelência tanto pela sofisticação de suas técnicas artísticas quanto pela densidade humanística de sua filosofia. Para ser consagrado como canônico, é preciso que o poema junte, em alto grau, sabedoria, habilidade verbal e fôlego criativo. Na história de cada literatura, há momentos de maior ou menor florescimento canônico, embora poemas canônicos isolados possam surgir em qualquer época. Também os poetas têm momentos mais e menos canônicos em suas obras. No Brasil modernista, o apogeu da alta poesia ocorre entre fins dos anos 40 e fins dos 50, estendendo-se em alguns casos pelos anos 60. Nosso cânone moderno aprofunda questionamentos existenciais (Drummond), propõe a glorificação adulta da nacionalidade (Cecília), intensifica a agudeza de uma reflexão simultaneamente erudita e popular (João Cabral). Nem sempre a força de poemas tão complexos se oferece facilmente. Sua beleza é aventura de leitura para a vida inteira.

Tecendo a manhã

João Cabral de Melo Neto

Um galo sozinho não tece uma manhã:
ele precisará sempre de outros galos.
De um que apanhe esse grito que ele
e o lance a outro; de um outro galo
que apanhe o grito que um galo antes
e o lance a outro; e de outros galos
que com muitos outros galos se cruzem
os fios de sol de seus gritos de galo,
para que a manhã, desde uma teia tênue,
se vá tecendo, entre todos os galos.

2

E se encorpando em tela, entre todos,
se erguendo tenda, onde entrem todos,
se entretendendo para todos, no toldo
(a manhã) que plana livre de armação.
A manhã, toldo de um tecido tão aéreo
que, tecido, se eleva por si: luz balão.

A mesa

Carlos Drummond de Andrade

E não gostavas de festa...
Ó velho, que festa grande
hoje te faria a gente.
E teus filhos que não bebem
e o que gosta de beber,
em torno da mesa larga,
largavam as tristes dietas,
esqueciam seus fricotes,
e tudo era farra honesta
acabando em confidência.
Ai, velho, ouvirias coisas
de arrepiar teus noventa.
E daí, não te assustávamos,
porque, com riso na boca,
e a nédia galinha, o vinho
português de boa pinta,
e mais o que alguém faria
de mil coisas naturais
e fartamente poria

em mil terrinas da China,
já logo te insinuávamos
que era tudo brincadeira.
Pois sim. Teu olho cansado,
mas afeito a ler no campo
uma lonjura de léguas,
e na lonjura uma rês
perdida no azul azul,
entrava-nos alma adentro
e via essa lama podre
e com pesar nos fitava
e com ira amaldiçoava
e com doçura perdoava
(perdoar é rito de pais,
quando não seja de amantes).
E, pois, todo nos perdoando,
por dentro te regalavas
de ter filhos assim... Puxa,
grandessíssimos safados,
me saíram bem melhor
que as encomendas. De resto,
filho de peixe... Calavas,
com agudo sobrecenho
interrogavas em ti
uma lembrança saudosa
e não de todo remota
e rindo por dentro e vendo
que lançaras uma ponte
dos passos loucos do avô
à incontinência dos netos,
sabendo que toda carne
aspira à degradação,
mas numa via de fogo
e sob um arco sexual,
tossias. Hem, hem, meninos,

não sejam bobos. Meninos?
Uns marmanjos cinqüentões,
calvos, vividos, usados,
mas resguardando no peito
essa alvura de garoto,
essa fuga para o mato,
essa gula defendida
e o desejo muito simples
de pedir à mãe que cosa,
mais do que nossa camisa,
nossa alma frouxa, rasgada...
Ai, grande jantar mineiro
que seria esse... Comíamos,
e comer abria fome,
e comida era pretexto.
E nem mesmo precisávamos
ter apetite, que as coisas
deixavam-se espostejar,
e amanhã é que eram elas.
Nunca desdenhe o tutu.
Vá lá mais um torresminho.
E quanto ao peru? Farofa
há de ser acompanhada
de uma boa cachacinha,
não desfazendo em cerveja,
essa grande camarada.
Ind'outro dia... Comer
guarda tamanha importância
que só o prato revele
o melhor, o mais humano
dos seres em sua treva?
Beber é pois tão sagrado
que só bebido meu mano
me desata seu queixume,

abrindo-me sua palma?
Sorver, papar: que comida
mais cheirosa, mais profunda
no seu tronco luso-árabe,
e que bebida mais santa
que a todos nos une em um
tal centímano glutão,
parlapatão e bonzão!
E nem falta a irmã que foi
mais cedo que os outros e era
rosa de nome e nascera
em dia tal como o de hoje
para enfeitar tua data.
Seu nome sabe a camélia,
e sendo uma rosa-amélia,
flor muito mais delicada
que qualquer das rosas-rosa,
viveu bem mais do que o nome,
porém no íntimo claustrava
a rosa esparsa. A teu lado,
vê: recobrou-se-lhe o viço.
Aqui sentou-se o mais velho.
Tipo do manso, do sonso,
não servia para padre,
amava casos bandalhos;
depois o tempo fez dele
o que faz de qualquer um;
e à medida que envelhece,
vai estranhamente sendo
retrato teu sem ser tu,
de sorte que se o diviso
de repente, sem anúncio,
és tu que me reapareces
noutro velho de sessenta.

Este outro aqui é doutor,
o bacharel da família,
mas suas letras mais doutas
são as escritas no sangue,
ou sobre a casca das árvores.
Sabe o nome da florzinha
e não esquece o da fruta
mais rara que se prepara
num casamento genético.
Mora nele a nostalgia,
citadino, do ar agreste,
e, camponês, do letrado.
Então vira patriarca.
Mais adiante vês aquele
que de ti herdou a dura
vontade, o duro estoicismo.
Mas, não quis te repetir.
Achou não valer a pena
reproduzir sobre a terra
o que a terra engolirá.
Amou. E ama. E amará.
Só não quer que seu amor
seja uma prisão de dois,
um contrato, entre bocejos
e quatro pés de chinelo.
Feroz a um breve contato,
à segunda vista, seco,
à terceira vista, lhano,
dir-se-ia que ele tem medo
de ser, fatalmente, humano.
Dir-se-ia que ele tem raiva,
mas que mel transcende a raiva,
e que sábios, ardilosos
recursos de se enganar

quanto a si mesmo: exercita
uma força que não sabe
chamar-se, apenas, bondade.
Esta calou-se. Não quis
manter com palavras novas
o colóquio subterrâneo
que num sussurro percorre
a gente mais desatada.
Calou-se, não te aborreças.
Se tanto assim a querias,
algo nela ainda te quer,
à maneira atravessada
que é própria de nosso jeito.
(Não ser feliz tudo explica.)
Bem sei como são penosos
esses lances de família,
e discutir neste instante
seria matar a festa,
matando-te – não se morre
uma só vez, nem de vez.
Restam sempre muitas vidas
para serem consumidas
na razão dos desencontros
de nosso sangue nos corpos
por onde vai dividido.
Ficam sempre muitas mortes
para serem longamente
reencarnadas noutro morto.
Mas estamos todos vivos.
E mais que vivos, alegres.
Estamos todos como éramos
antes de ser, e ninguém
dirá que ficou faltando
algum dos teus. Por exemplo:

ali ao canto da mesa,
não por humilde, talvez
por ser o rei dos vaidosos
e se pelar por incômodas
posições de tipo *gauche,*
ali me vês tu. Que tal?
Fica tranqüilo: trabalho.
Afinal, a boa vida
ficou apenas: a vida
(e nem era assim tão boa
e nem se fez muito má).
Pois ele sou eu. Repara:
tenho todos os defeitos
que não farejei em ti,
e nem os tenho que tinhas,
quanto mais as qualidades.
Não importa: sou teu filho
com ser uma negativa
maneira de te afirmar.
Lá que brigamos, brigamos
opa! que não foi brinquedo,
mas os caminhos do amor,
só amor sabe trilhá-los.
Tão ralo prazer te dei,
nenhum, talvez... ou senão,
esperança de prazer,
é, pode ser que te desse
a neutra satisfação
de alguém sentir que seu filho,
de tão inútil, seria
sequer um sujeito ruim.
Não sou um sujeito ruim.
Descansa, se o suspeitavas,
mas não sou lá essas coisas.

Alguns afetos recortam
o meu coração chateado.
Se me chateio? demais.
Esse é meu mal. Não herdei
de ti essa balda. Bem,
não me olhes tão longo tempo,
que há muitos a ver ainda.
Há oito. E todos minúsculos,
todos frustrados. Que flora
mais triste fomos achar
para ornamento de mesa!
Qual nada. De tão remotos,
de tão puros e esquecidos
no chão que suga e transforma,
são anjos. Que luminosos!
que raios de amor radiam,
e em meio a vagos cristais,
o cristal deles retine,
reverbera a própria sombra.
São anjos que se dignaram
participar do banquete,
alisar o tamborete,
viver vida de menino.
São anjos: e mal sabias
que um mortal devolve a Deus
algo de sua divina
substância aérea e sensível,
se tem um filho e se o perde.
Conta: quatorze na mesa.
Ou trinta? serão cinqüenta,
que sei? se chegam mais outros,
uma carne cada dia
multiplicada, cruzada
a outras carnes de amor.

São cinqüenta pecadores,
se pecado é ter nascido
e provar, entre pecados,
os que nos foram legados.
A procissão de teus netos,
alongando-se em bisnetos,
veio pedir tua bênção
e comer de teu jantar.
Repara um pouquinho nesta,
no queixo, no olhar, no gesto,
e na consciência profunda
e na graça menineira,
e dize, depois de tudo,
se não é, entre meus erros,
uma imprevista verdade.
Esta é minha explicação,
meu verso melhor ou único,
meu tudo enchendo meu nada.
Agora a mesa repleta
está maior do que a casa.
Falamos de boca cheia,
xingamo-nos mutuamente,
rimos, ai, de arrebentar,
esquecemos o respeito
terrível, inibidor,
e toda a alegria nossa,
ressecada em tantos negros
bródios comemorativos
(não convém lembrar agora),
os gestos acumulados
de efusão fraterna, atados
(não convém lembrar agora),
as fina-e-meigas palavras
que ditas naquele tempo

teriam mudado a vida
(não convém mudar agora),
vem tudo à mesa e se espalha
qual inédita vitualha.
Oh que ceia mais celeste
e que gozo mais do chão!
Quem preparou? que inconteste
vocação de sacrifício
pôs a mesa, teve os filhos?
quem se apagou? quem pagou
a pena deste trabalho?
quem foi a mão invisível
que traçou este arabesco
de flor em torno ao pudim,
como se traça uma auréola?
quem tem auréola? quem não
a tem, pois que, sendo de ouro,
cuida logo em reparti-la,
e se pensa melhor faz?
quem senta do lado esquerdo,
assim curvada? que branca,
mas que branca mais que branca
tarja de cabelos brancos
retira a cor das laranjas,
anula o pó do café,
cassa o brilho aos serafins?
quem é toda luz e é branca?
Decerto não pressentias
como o branco pode ser
uma tinta mais diversa
da mesma brancura... Alvura
elaborada na ausência
de ti, mas ficou perfeita,
concreta, fria, lunar.

Como pode nossa festa
ser de um só que não de dois?
Os dois ora estais reunidos
numa aliança bem maior
que o simples elo da terra.
Estais juntos nesta mesa
de madeira mais de lei
que qualquer lei da república.
Estais acima de nós,
acima deste jantar
para o qual vos convocamos
por muito – enfim – vos querermos
e, amando, nos iludirmos
junto da mesa
                    vazia.

Psicologia da composição

João Cabral de Melo Neto

A Antonio Rangel Bandeira

I

Saio de meu poema
como quem lava as mãos.

Algumas conchas tornaram-se,
que o sol da atenção
cristalizou; alguma palavra
que desabrochei, como a um pássaro.

Talvez alguma concha
dessas (ou pássaro) lembre,
côncava, o corpo do gesto
extinto que o ar já preencheu;

talvez, como a camisa
vazia, que despi.

II

A Lêdo Ivo

Esta folha branca
me proscreve o sonho,
me incita ao verso
nítido e preciso.

Eu me refugio
nesta praia pura
onde nada existe
em que a noite pouse.

Como não há noite
cessa toda fonte;
como não há fonte
cessa toda fuga;

como não há fuga
nada lembra o fluir
de meu tempo, ao vento
que nele sopra o tempo.

III

Neste papel
pode teu sal
virar cinza;

pode o limão
virar pedra;
o sol da pele,
o trigo do corpo
virar cinza

(Teme, por isso,
a jovem manhã
sobre as flores
da véspera.)

Neste papel
logo fenecem
as roxas, mornas
flores morais;
todas as fluidas
flores da pressa;
todas as úmidas
flores do sonho.

(Espera, por isso,
que a jovem manhã
te venha revelar
as flores da véspera.)

IV

O poema, com seus cavalos,
quer explodir
teu tempo claro; romper
seu branco fio, seu cimento
mudo e fresco.

(O descuido ficara aberto
de par em par;
um sonho passou, deixando
fiapos, logo árvores instantâneas
coagulando a preguiça.)

V

Vivo com certas palavras,
abelhas domésticas.

Do dia aberto
(branco guarda-sol)
esses lúcidos fusos retiram
o fio de mel
(do dia que abriu
também como flor)

que na noite
(poço onde vai tombar
a aérea flor)
persistirá: louro
sabor, e ácido,
contra o açúcar do podre.

VI

Não a forma encontrada
como uma concha, perdida
nos frouxos areais
como cabelos;

não a forma obtida
em lance santo ou raro,
tiro nas lebres de vidro
do invisível;

mas a forma atingida
como a ponta do novelo
que a atenção, lenta,
desenrola,

aranha; como o mais extremo
desse fio frágil, que se rompe
ao peso, sempre, das mãos
enormes.

VII

É mineral o papel
onde escrever
o verso; o verso
que é possível não fazer.

São minerais
as flores e as plantas,
as frutas, os bichos
quando em estado de palavra.

É mineral
a linha do horizonte,
nossos nomes, essas coisas
feitas de palavras.

É mineral, por fim,
qualquer livro:
que é mineral a palavra
escrita, a fria natureza

da palavra escrita.

VIII

Cultivar o deserto
como um pomar às avessas.

(A árvore destila
a terra, gota a gota;
a terra completa
cai, fruto!

Enquanto na ordem
de outro pomar
a atenção destila
palavras maduras.)

Cultivar o deserto
como um pomar às avessas:

então, nada mais
destila; evapora;
onde foi maçã
resta uma fome;

onde foi palavra
(potros ou touros
contidos) resta a severa
forma do vazio.

Antiode
(contra a poesia dita profunda)

João Cabral de Melo Neto

A

Poesia, te escrevia:
flor! conhecendo
que és fezes. Fezes
como qualquer,

gerando cogumelos
(raros, frágeis cogu-
melos) no úmido
calor de nossa boca.

Delicado, escrevia:
flor! (Cogumelos
serão flor? Espécie
estranha, espécie

extinta de flor, flor
não de todo flor,
mas flor, bolha
aberta no maduro.)

Delicado, evitava
o estrume do poema,
seu caule, seu ovário,
suas intestinações.

Esperava as puras,
transparentes florações,
nascidas do ar, no ar,
como as brisas.

       B

Depois, eu descobriria
que era lícito
te chamar: flor!
(Pelas vossas iguais

circunstâncias? Vossas
gentis substâncias? Vossas
doces carnações? Pelos
virtuosos vergéis

de vossas evocações?
Pelo pudor do verso
– pudor de flor –
por seu tão delicado

pudor de flor,
que só se abre
quando a esquece o
sono do jardineiro?)

Depois eu descobriria
que era lícito
te chamar: flor!
(flor, imagem de

duas pontas, como
uma corda). Depois
eu descobriria
as duas pontas

da flor; as duas
bocas da imagem
da flor: a boca
que come o defunto

e a boca que orna
o defunto com outro
defunto, com flores,
– cristais de vômito.

C

Como não invocar o
vício da poesia: o
corpo que entorpece
ao ar de versos?

Antiode

(Ao ar de águas
mortas, injetando
na carne do dia
a infecção da noite.)

Fome de vida? Fome
de morte, freqüentação
da morte, como de
algum cinema.

O dia? Árido.
Venha, então, a noite,
o sono. Venha,
por isso, a flor.

Venha, mais fácil e
portátil na memória,
o poema, flor no
colete da lembrança.

Como não invocar,
sobretudo, o exercício
do poema, sua prática,
sua lânguida horti-

cultura? Pois estações
há, do poema, como
da flor, ou como
no amor dos cães;

e mil mornos
enxertos, mil maneiras
de excitar negros
êxtases; e a morna

espera de que se
apodreça em poema,
prévia exalação
da alma defunta.

D

Poesia, não será esse
o sentido em que
ainda te escrevo:
flor! (Te escrevo:

flor! Não *uma*
flor, nem aquela
flor-virtude – em
disfarçados urinóis.)

Flor é a palavra
flor, verso inscrito
no verso, como as
manhãs no tempo.

Flor é o salto
da ave para o vôo;
o salto fora do sono
quando seu tecido

se rompe; é uma explosão
posta a funcionar,
como uma máquina,
uma jarra de flores.

Antiode

E

Poesia, te escrevo
agora: fezes, as
fezes vivas que és.
Sei que outras

palavras és, palavras
impossíveis de poema.
Te escrevo, por isso,
fezes, palavra leve,

contando com sua
breve. Te escrevo
cuspe, cuspe, não
mais; tão cuspe

como a terceira
(como usá-la num
poema?) a terceira
das virtudes teologais.

A máquina do mundo

Carlos Drummond de Andrade

E como eu palmilhasse vagamente
uma estrada de Minas, pedregosa,
e no fecho da tarde um sino rouco

se misturasse ao som de meus sapatos
que era pausado e seco; e aves pairassem
no céu de chumbo, e suas formas pretas

lentamente se fossem diluindo
na escuridão maior, vinda dos montes
e de meu próprio ser desenganado,

a máquina do mundo se entreabriu
para quem de a romper já se esquivava
e só de o ter pensado se carpia.

Abriu-se majestosa e circunspecta,
sem emitir um som que fosse impuro
nem um clarão maior que o tolerável

pelas pupilas gastas na inspeção
contínua e dolorosa do deserto,
e pela mente exausta de mentar

toda uma realidade que transcende
a própria imagem sua debuxada
no rosto do mistério, nos abismos.

Abriu-se em calma pura, e convidando
quantos sentidos e intuições restavam
a quem de os ter usado os já perdera

e nem desejaria recobrá-los,
se em vão e para sempre repetimos
os mesmos sem roteiro tristes périplos,

convidando-os a todos, em coorte,
a se aplicarem sobre o pasto inédito
da natureza mítica das coisas,

assim me disse, embora voz alguma
ou sopro ou eco ou simples percussão
atestasse que alguém, sobre a montanha,

a outro alguém, noturno e miserável,
em colóquio se estava dirigindo:
"O que procuraste em ti ou fora de

teu ser restrito e nunca se mostrou,
mesmo afetando dar-se ou se rendendo,
e a cada instante mais se retraindo,

olha, repara, ausculta: essa riqueza
sobrante a toda pérola, essa ciência
sublime e formidável, mas hermética,

essa total explicação da vida,
esse nexo primeiro e singular,
que nem concebes mais, pois tão esquivo

se revelou ante a pesquisa ardente
em que te consumiste... vê, contempla,
abre teu peito para agasalhá-lo."

As mais soberbas pontes e edifícios,
o que nas oficinas se elabora,
o que pensado foi e logo atinge

distância superior ao pensamento,
os recursos da terra dominados,
e as paixões e os impulsos e os tormentos

e tudo que define o ser terrestre
ou se prolonga até nos animais
e chega às plantas para se embeber

no sono rancoroso dos minérios,
dá volta ao mundo e torna a se engolfar
na estranha ordem geométrica de tudo,

e o absurdo original e seus enigmas,
suas verdades altas mais que tantos
monumentos erguidos à verdade;

e a memória dos deuses, e o solene
sentimento de morte, que floresce
no caule da existência mais gloriosa,

tudo se apresentou nesse relance
e me chamou para seu reino augusto,
afinal submetido à vista humana.

Mas, como eu relutasse em responder
a tal apelo assim maravilhoso,
pois a fé se abrandara, e mesmo o anseio,

a esperança mais mínima – esse anelo
de ver desvanecida a treca espessa
que entre os raios do sol inda se filtra;

como defuntas crenças convocadas
presto e fremente não se produzissem
a de novo tingir a neutra face

que vou pelos caminhos demonstrando,
e como se outro ser, não mais aquele
habitante de mim há tantos anos,

passasse a comandar minha vontade
que, já de si solúvel, se cerrava
semelhante a essas flores reticentes

em si mesmas abertas e fechadas;
como se um dom tardio já não fora
apetecível, antes despiciendo,

baixei os olhos, incurioso, lasso,
desdenhando colher a coisa oferta
que se abria gratuita a meu engenho.

A treva mais estrita já pousara
sobre a estrada de Minas, pedregosa,
e a máquina do mundo, repelida,

se foi miudamente recompondo,
enquanto eu, avaliando o que perdera,
seguia vagaroso, de mãos pensas.

Cenário
(do *Romanceiro da Inconfidência*)

Cecília Meireles

Passei por essas plácidas colinas
e vi das nuvens, silencioso, o gado,
pascer nas solidões esmeraldinas.

Largos rios de corpo sossegado
dormiam sobre a tarde, imensamente,
e eram sonhos sem fim, de cada lado.

Entre nuvens, colinas e torrente,
uma angústia de amor estremecia
a deserta amplidão na minha frente.

Que vento, que cavalo, que bravia
saudade me arrastava a esse deserto,
me obrigava a adorar o que sofria?

Passei por entre as grotas negras, perto
dos arroios fanados, do cascalho
cujo ouro já foi todo descoberto.

As mesmas salas deram-me agasalho
onde a face brilhou de homens antigos,
iluminada por aflito orvalho.

De coração votado a iguais perigos,
vivendo as mesmas dores e esperanças,
a voz ouvi de amigos e inimigos.

Vencendo o tempo, fértil em mudanças,
conversei com doçura as mesmas fontes,
e vi serem comuns nossas lembranças.

Da brenha tenebrosa aos curvos montes,
do quebrado almocafre aos anjos de ouro
que o céu sustém nos longos horizontes,

tudo me fala e entende do tesouro
arrancado a estas Minas enganosas,
com sangue sobre a espada, a cruz e o louro.

Tudo me fala e entendo: escuto as rosas
e os girassóis destes jardins, que um dia
foram terras e areias dolorosas,

por onde o passo da ambição rugia;
por onde se arrastava, esquartejado,
o mártir sem direito de agonia.

Escuto os alicerces que o passado
tingiu de incêndio: a voz dessas ruínas
de muros de ouro em fogo evaporado.

Altas capelas contam-me divinas
fábulas. Torres, santos e cruzeiros
apontam-me altitudes e neblinas.

Ó pontes sobre os córregos! ó vasta
desolação de ermas, estéreis serras
que o sol freqüenta e a ventania gasta!

Rubras, cinéreas, tenebrosas terras
retalhadas por grandes golpes duros,
de infatigáveis, seculares guerras...

Tudo me chama: a porta, a escada, os muros,
as lajes sobre mortos ainda vivos,
dos seus próprios assuntos inseguros.

Assim viveram chefes e cativos,
um dia, neste campo, entrelaçados
na mesma dor, quiméricos e altivos.

E assim me acenam por todos os lados.
Porque a voz que tiveram ficou presa
na sentença dos homens e dos fados.

Cemitério das almas... – que tristeza
nutre as papoulas de tão vaga essência?
(Tudo é sombra de sombras, com certeza...

O mundo, vaga e inábil aparência,
que se perde nas lápides escritas,
sem qualquer consistência ou conseqüência.

Vão-se as datas e as letras eruditas
na pedra e na alma, sob etéreos ventos,
em lúcidas venturas e desditas.

E são todas as coisas uns momentos
de perdulária fantasmagoria,
– jogo de fugas e aparecimentos.)

Das grotas de ouro à extrema escadaria,
por asas de memória e de saudade,
com o pó do chão meu sonho confundia.

Armado pó que finge eternidade,
lavra imagens de santos e profetas
cuja voz silenciosa nos persuade.

E recompunha as coisas incompletas:
figuras inocentes, vis, atrozes,
vigários, coronéis, ministros, poetas.

Retrocedem os tempos tão velozes,
que ultramarinos árcades pastores
falam de Ninfas e Metamorfoses.

E percebo os suspiros dos amores
quando por esses prados florescentes
se ergueram duros punhos agressores.

Aqui tiniram ferros de correntes;
pisaram por ali tristes cavalos.
E enamorados olhos refulgentes

– parado o coração por escutá-los –
prantearam nesse pânico de auroras
densas de brumas e gementes galos.

Isabéis, Dorotéias, Eliodoras,
ao longo desses vales, desses rios,
viram as suas mais douradas horas

em vasto furacão de desvarios
vacilar como em caules de altas velas
cálida luz de trêmulos pavios.

Minha sorte se inclina junto àquelas
vagas sombras da triste madrugada,
fluidos perfis de donas e donzelas.

Tudo em redor é tanta coisa e é nada:
Nise, Anarda, Marília... – quem procuro?
Quem responde a essa póstuma chamada?

Que mensageiro chega, humilde e obscuro?
Que cartas se abrem? Quem reza ou pragueja?
Quem foge? Entre que sombras me aventuro?

Que soube cada santo em cada igreja?
A memória é também pálida e morta
sobre a qual nosso amor saudoso adeja.

O passado não abre a sua porta
e não pode entender a nossa pena.
Mas, nos campos sem fim que o sonho corta,

vejo uma forma no ar subir serena:
vaga forma, do tempo desprendida.
É a mão do Alferes, que de longe acena.

Eloqüência da simples despedida:
"Adeus! que trabalhar vou para todos!..."
(Esse adeus estremece a minha vida.)

Uma faca só lâmina
ou
Serventia das idéias fixas

João Cabral de Melo Neto

Para Vinicius de Moraes

Assim como uma bala
enterrada no corpo,
fazendo mais espesso
um dos lados do morto;

assim como uma bala
do chumbo mais pesado,
no músculo de um homem
pesando-o mais de um lado

qual bala que tivesse
um vivo mecanismo,
bala que possuísse
um coração ativo

igual ao de um relógio
submerso em algum corpo,
ao de um relógio vivo
e também revoltoso,

relógio que tivesse
o gume de uma faca
e toda a impiedade
de lâmina azulada;

assim como uma faca
que sem bolso ou bainha
se transformasse em parte
de vossa anatomia;

qual uma faca íntima
ou faca de uso interno,
habitando num corpo
como o próprio esqueleto

de um homem que o tivesse,
e sempre, doloroso,
de homem que se ferisse
contra seus próprios ossos.

A

Seja bala, relógio,
ou a lâmina colérica,
é contudo uma ausência
o que esse homem leva.

Mas o que não está
nele está como bala:
tem o ferro do chumbo,
mesma fibra compacta.

Isso que não está
nele é como um relógio
pulsando em sua gaiola,
sem fadiga, sem ócios.

Isso que não está
nele está como a ciosa
presença de uma faca,
de qualquer faca nova.

Por isso é que o melhor
dos símbolos usados
é a lâmina cruel
(melhor se de Pasmado):

porque nenhum indica
essa ausência tão ávida
como a imagem da faca
que só tivesse lâmina,

nenhum melhor indica
aquela ausência sôfrega
que a imagem de uma faca
reduzida à sua boca,

que a imagem de uma faca
entregue inteiramente
à fome pelas coisas
que nas facas se sente.

               B

Das mais surpreendentes
é a vida de tal faca:
faca, ou qualquer metáfora,
pode ser cultivada.

E mais surpreendente
ainda é sua cultura:
medra não do que come
porém do que jejua.

Podes abandoná-la,
essa faca intestina:
jamais a encontrarás
com a boca vazia.

Do nada ela destila
a azia e o vinagre
e mais estratagemas
privativos dos sabres.

E como faca que é,
fervorosa e enérgica,
sem ajuda dispara
sua máquina perversa:

a lâmina despida
que cresce ao se gastar,
que quanto menos dorme
quanto menos sono há,

cujo muito cortar
lhe aumenta mais o corte
e vive a se parir
em outras, como fonte.

(Que a vida dessa faca
se mede pelo avesso:
seja relógio ou bala,
ou seja a faca mesmo.)

C

Cuidado com o objeto,
com o objeto cuidado,
mesmo sendo uma bala
desse chumbo ferrado,

porque seus dentes já
a bala os traz rombudos
e com facilidade
se embotam mais no músculo.

Mais cuidado porém
quando for um relógio
com o seu coração
aceso e espasmódico.

É preciso cuidado
por que não se acompasse
o pulso do relógio
com o pulso do sangue,

e seu cobre tão nítido
não confunda a passada
com o sangue que bate
já sem morder mais nada.

Então se for a faca,
maior seja o cuidado:
a bainha do corpo
pode absorver o aço.

Também seu corte às vezes
tende a tornar-se rouco
e há casos em que ferros
degeneram em couro.

O importante é que a faca
o seu ardor não perca
e tampouco a corrompa
o cabo de madeira.

D

Pois essa faca às vezes
por si mesma se apaga.
É a isso que se chama
maré-baixa da faca.

Talvez que não se apague
e somente adormeça.
Se a imagem é relógio,
a sua abelha cessa.

Mas quer durma ou se apague:
ao calar tal motor,
a alma inteira se torna
de um alcalino teor

bem semelhante à neutra
substância, quase feltro,
que é a das almas que não
têm facas-esqueleto.

E a espada dessa lâmina,
sua chama antes acesa,
e o relógio nervoso
e a tal bala indigesta,

tudo segue o processo
de lâmina que cega:
faz-se faca, relógio
ou bala de madeira,

bala de couro ou pano,
ou relógio de breu,
faz-se faca sem vértebras,
faca de argila ou mel.

(Porém quando a maré
já nem se espera mais,
eis que a faca ressurge
com todos seus cristais.)

E

Forçoso é conservar
a faca bem oculta
pois na umidade pouco
seu relâmpago dura

(na umidade que criam
salivas de conversas,
tanto mais pegajosas
quanto mais confidências).

Forçoso é esse cuidado
mesmo se não é faca
a brasa que te habita
e sim, relógio ou bala.

Não suportam também
todas as atmosferas:
sua carne selvagem
quer câmaras severas.

Mas se deves sacá-los
para melhor sofrê-los,
que seja em algum páramo
ou agreste de ar aberto.

Mas nunca seja ao ar
que pássaros habitem.
Deve ser a um ar duro,
sem sombra e sem vertigem.

E nunca seja à noite,
que esta tem as mãos férteis.
Aos ácidos do sol
seja, ao sol do Nordeste,

à febre desse sol
que faz de arame as ervas,
que faz de esponja o vento
e faz de sede a terra.

      F

Quer seja aquela bala
ou outra qualquer imagem,
seja mesmo um relógio
a ferida que guarde,

ou ainda uma faca
que só tivesse lâmina,
de todas as imagens
a mais voraz e gráfica,

ninguém do próprio corpo
poderá retirá-la,
não importa se é bala
nem se é relógio ou faca,

nem importa qual seja
a raça dessa lâmina:
faca mansa de mesa,
feroz pernambucana.

E se não a retira
quem sofre sua rapina,
menos pode arrancá-la
nenhuma mão vizinha.

Não pode contra ela
a inteira medicina
de facas numerais
e aritméticas pinças.

Nem ainda a polícia
com seus cirurgiões
e até nem mesmo o tempo
com os seus algodões.

E nem a mão de quem
sem o saber plantou
bala, relógio ou faca,
imagens de furor.

G

Essa bala que um homem
leva às vezes na carne
faz menos rarefeito
todo aquele que a guarde.

O que um relógio implica
por indócil e inseto,
encerrado no corpo
faz este mais desperto.

E se é faca a metáfora
do que leva no músculo,
facas dentro de um homem
dão-lhe maior impulso.

O fio de uma faca
mordendo o corpo humano,
de outro corpo ou punhal
tal corpo vai armando,

pois lhe mantendo vivas
todas as molas da alma
dá-lhes ímpeto de lâmina
e cio de arma branca,

além de ter o corpo
que a guarda crispado,
insolúvel no sono
e em tudo quanto é vago,

como naquela história
por alguém referida
de um homem que se fez
memória tão ativa

que pôde conservar
treze anos na palma
o peso de uma mão,
feminina, apertada.

H

Quando aquele que os sofre
trabalha com palavras,
são úteis o relógio,
a bala e, mais, a faca.

Os homens que em geral
lidam nessa oficina
têm no almoxarifado
só palavras extintas:

umas que se asfixiam
por debaixo do pó
outras despercebidas
em meio a grandes nós;

palavras que perderam
no uso todo o metal
e a areia que detém
a atenção que lê mal.

Pois somente essa faca
dará a tal operário
olhos mais frescos para
o seu vocabulário

e somente essa faca
e o exemplo de seu dente
lhe ensinará a obter
de um material doente

o que em todas as facas
é a melhor qualidade:
a agudeza feroz,
certa eletricidade,

mais a violência limpa
que elas têm, tão exatas,
o gosto do deserto,
o estilo das facas.

I

Essa lâmina adversa,
como o relógio ou a bala,
se torna mais alerta
todo aquele que a guarda,

sabe acordar também
os objetos em torno
e até os próprios líquidos
podem adquirir ossos.

E tudo o que era vago,
toda frouxa matéria,
para quem sofre a faca
ganha nervos, arestas.

Em volta tudo ganha
a vida mais intensa,
com nitidez de agulha
e presença de vespa.

Em cada coisa o lado
que corta se revela,
e elas que pareciam
redondas como a cera

despem-se agora do
caloso da rotina,
pondo-se a funcionar
com todas suas quinas.

Pois entre tantas coisas
que também já não dormem,
o homem a quem a faca
corta e empresta seu corte,

sofrendo aquela lâmina
e seu jato tão frio,
passa, lúcido e insone,
vai fio contra fios.

*

De volta dessa faca,
amiga ou inimiga,
que mais condensa o homem
quanto mais o mastiga;

de volta dessa faca
de porte tão secreto
que deve ser levada
como o oculto esqueleto;

da imagem em que mais
me detive, a da lâmina,
porque é de todas elas
certamente a mais ávida;

pois de volta da faca
se sobe à outra imagem,
àquela de um relógio
picando sob a carne,

e dela àquela outra,
a primeira, a da bala,
que tem o dente grosso
porém forte a dentada

e daí à lembrança
que vestiu tais imagens
e é muito mais intensa
do que pôde a linguagem,

e afinal à presença
da realidade, prima,
que gerou a lembrança
e ainda a gera, ainda,

por fim à realidade,
prima, e tão violenta
que ao tentar apreendê-la
toda imagem rebenta.

FIM DE "UMA FACA SÓ LÂMINA"

Romance **XXI** ou **Das** idéias
(do *Romanceiro da Inconfidência*)

Cecília Meireles

A vastidão desses campos.
A alta muralha das serras.
As lavras inchadas de ouro.
Os diamantes entre as pedras.
Negros, índios e mulatos.
Almocafres e gamelas.
Os rios todos virados.
Toda revirada, a terra.
Capitães, governadores,
padres, intendentes, poetas.
Carros, liteiras douradas,
cavalos de crina aberta.
A água a transbordar das fontes.
Altares cheios de velas.
Cavalhadas. Luminárias.
Sinos. Procissões. Promessas.
Anjos e santos nascendo

em mãos de gangrena e lepra.
Finas músicas broslando
as alfaias das capelas.
Todos os sonhos barrocos
deslizando pelas pedras.
Pátios de seixos. Escadas.
Boticas. Pontes. Conversas.
Gente que chega e que passa.
E as idéias.

Amplas casas. Longos muros.
Vida de sombras inquietas.
Pelos cantos das alcovas,
histerias de donzelas.
Lamparinas, oratórios,
bálsamos, pílulas, rezas.
Orgulhosos sobrenomes.
Intricada parentela.
No batuque das mulatas,
a prosápia degenera:
pelas portas dos fidalgos,
na lã das noites secretas,
meninos recém-nascidos
como mendigos esperam.
Bastardias. Desavenças.
Emboscadas pela treva.
Sesmarias. Salteadores.
Emaranhadas invejas.
O clero. A nobreza. O povo.
E as idéias.

E as mobílias de cabiúna.
E as cortinas amarelas.

D. José. D. Maria.
Fogos. Mascaradas. Festas.
Nascimentos. Batizados.
Palavras que se interpretam
nos discursos, nas saúdes...
Visitas. Sermões de exéquias.
Os estudantes que partem.
Os doutores que regressam.
(Em redor das grandes luzes,
há sempre sombras perversas.
Sinistros corvos espreitam
pelas douradas janelas.)
E há mocidade! E há prestígio.
E as idéias.

As esposas preguiçosas
na rede embalando as sestas.
Negras de peitos robustos
que os claros meninos cevam.
Arapongas, papagaios,
passarinhos da floresta.
Essa lassidão do tempo
entre embaúbas, quaresmas,
cana, milho, bananeiras
e a brisa que o riacho encrespa.
Os rumores familiares
que a lenta vida atravessam:
elefantíases; partos;
sarna; torceduras; quedas;
sezões; picadas de cobras;
sarampos e erisipelas...
Candombeiros. Feiticeiros.
Ungüentos. Emplastos. Ervas.

Senzalas. Tronco. Chibata.
Congos. Angolas. Benguelas.
Ó imenso tumulto humano!
E as idéias.

Banquetes. Gamão. Notícias.
Livros. Gazetas. Querelas.
Alvarás. Decretos. Cartas.
A Europa a ferver em guerras.
Portugal todo de luto:
triste Rainha o governa!
Ouro! Ouro! Pedem mais ouro!
E sugestões indiscretas:
Tão longe o trono se encontra!
Quem no Brasil o tivera!
Ah, se D. José II
põe a coroa na testa!
Uns poucos de americanos,
por umas praias desertas,
já libertaram seu povo
da prepotente Inglaterra!
Washington. Jefferson. Franklin.
(Palpita a noite, repleta
de fantasmas, de presságios...)
E as idéias.

Doces invenções da Arcádia!
Delicada primavera:
pastoras, sonetos, liras,
– entre as ameaças austeras
de mais impostos e taxas
que uns protelam e outros negam.

Casamentos impossíveis.
Calúnias. Sátiras. Essa
paixão da mediocridade
que na sombra se exaspera.
E os versos de asas douradas,
que amor trazem e amor levam...
Anarda. Nise. Marília...
As verdades e as quimeras.
Outras leis, outras pessoas.
Novo mundo que começa.
Nova raça. Outro destino.
Plano de melhores eras.
E os inimigos atentos,
que, de olhos sinistros, velam.
E os aleives. E as denúncias.
E as idéias.

Louvação de Daniel

Henriqueta Lisboa

Como és belo, ó Daniel
dos bíblicos arcanos
aos vagares do pouso
de Congonhas do Campo.

Sob o céu constelado,
pela chuva batido,
prisioneiro da pedra
como dantes cativo,
todavia talhado
para sobrançarias.

Príncipe em terra estranha,
como outrora imperaste
sobre reis, por teu ânimo
e donaire de porte,
pela divina graça
permaneces magnífico
para as eternidades.

Mais que aos outros profetas
o Aleijadinho amou-te,
recompondo-te a essência
na harmonia do todo.
Dentre os blocos de pedra
pelo rolar dos tempos
receberás o orvalho
da estrela. Sol e azul
te saudarão primeiro.
Pássaros da distância
com preferência clara
pousarão no teu ombro.

Leão que outrora domaste
(mas com que destemor
numa estreita caverna!)
com submissa volúpia
bebe-te hoje os olhares
aos reflexos da lua.

Pensativa cabeça
sem orgulho, que sábia
posição escolheste
para ser e não ser!
Decifrador de enigmas
pelos desígnios do alto,
que em ti mesmo encontravas
as raízes da vida.

Não foi em vão, Daniel,
que salvaste Susana,
cavalheiro perfeito
pelas dobras do manto.

Giro em torno de ti,
Daniel, desapareço.
Prenunciando o Messias
continuas de pedra
pelas noites e os dias
passageiros e eternos.

Evocação mariana

Carlos Drummond de Andrade

A igreja era grande e pobre. Os altares, humildes.
Havia poucas flores. Eram flores de horta.
Sob a luz fraca, na sombra esculpida
(quais as imagens e quais os fiéis?)
ficávamos.

Do padre cansado o murmúrio de reza
subia às tábuas do forro,
batia no púlpito seco,
entranhava-se na onda, minúscula e forte, de incenso,
perdia-se.

Não, não se perdia...
Desatava-se do coro a música deliciosa
(que esperas ouvir à hora da morte, ou depois da morte, nas campinas do ar)
e dessa música surgiam meninas – a alvura mesma –
cantando.

Evocação mariana

De seu peso terrestre a nave libertada,
como do tempo atroz imunes nossas almas,
flutuávamos
no canto matinal, sobre a treva do vale.

Carlos Drummond de Andrade © Graña Drummond / www.carlosdrummond.com.br

"O céu jamais me dê a tentação funesta"
(de *Invenção de Orfeu*)

Jorge de Lima

O céu jamais me dê a tentação funesta
de adormecer ao léu, na lomba da floresta,

onde há visgo, onde certa erva sucosa e fria,
carnívora decerto o sono nos espia.

Que culpa temos nós dessa planta da infância,
de sua sedução, de seu viço e constância?

Minha cabeça estava em pedra, adormecida,
quando me sobreveio a cena pressentida.

Em sonâmbulo arriei as mãos e os pés culpados
dos passos e do gesto em vão desperdiçados.

Despi-me de outros bens, de glória mais modesta:
restava-me por fim a minha pobre testa

confundida com a pedra, em meio da floresta.
Que doces olhos têm as coisas simples e unas

onde a loucura dorme inteira e sem lacunas!
Agora posso ver as mãos entrecruzadas

e as plantas de meus pés nas entranhas amadas,
nesse início que é a clara insônia verdadeira.

Ó seres primordiais que sois testa e viseira,
restituo-me em vós, sangue e máscara vividos,

desejo de esquecer tempo e espaço existidos;
e em vós e em vossa paz meus solilóquios paro-os,

penetro-me do Verbo em seus silêncios claros,
invisto-me de vós, vossa fronte me espia

através dessa pedra em que nasce o meu dia.

Balada

Mário Faustino

(Em memória de um poeta suicida)

Não conseguiu firmar o nobre pacto
Entre o cosmos sangrento e a alma pura.
Porém, não se dobrou perante o facto
Da vitória do caos sobre a vontade
Augusta de ordenar a criatura
Ao menos: luz ao sul da tempestade.
Gladiador defunto mas intacto
(Tanta violência, mas tanta ternura)

Jogou-se contra um mar de sofrimentos
Não para pôr-lhes fim, Hamlet, e sim
Para afirmar-se além de seus tormentos
De monstros cegos contra um só delfim,
Frágil porém vidente, morto ao som
De vagas de verdade e de loucura.
Bateu-se delicado e fino, com
Tanta violência, mas tanta ternura!

Cruel foi teu triunfo, torpe mar.
Celebrara-te tanto, te adorava
Do fundo atroz à superfície, altar
De seus deuses solares – tanto amava
Teu dorso cavalgado de tortura!
Com que fervor enfim te penetrou
No mergulho fatal com que mostrou
Tanta violência, mas tanta ternura!

Envoi

Senhor, que perdão tem o meu amigo
Por tão clara aventura, mas tão dura?
Não está mais comigo. Nem conTigo:
Tanta violência. Mas tanta ternura.

A educação pela pedra

João Cabral de Melo Neto

Uma educação pela pedra: por lições;
para aprender da pedra, freqüentá-la;
captar sua voz inenfática, impessoal
(pela de dicção ela começa as aulas).
A lição de moral, sua resistência fria
ao que flui e a fluir, a ser maleada;
a de poética, sua carnadura concreta;
a de economia, seu adensar-se compacta:
lições da pedra (de fora para dentro,
cartilha muda), para quem soletrá-la.

*

Outra educação pela pedra: no Sertão
(de dentro para fora, e pré-didática).
No Sertão a pedra não sabe lecionar,
e se lecionasse não ensinaria nada;
lá não se aprende a pedra: lá a pedra,
uma pedra de nascença, entranha a alma.

Pátria minha

Vinicius de Moraes

A minha pátria é como se não fosse, é íntima
Doçura e vontade de chorar; uma criança dormindo
É minha pátria. Por isso, no exílio
Assistindo dormir meu filho
Choro de saudades de minha pátria.

Se me perguntarem o que é a minha pátria, direi:
Não sei. De fato, não sei
Como, por que e quando a minha pátria
Mas sei que a minha pátria é a luz, o sal e a água
Que elaboram e liquefazem a minha mágoa
Em longas lágrimas amargas.

Vontade de beijar os olhos de minha pátria
De niná-la, de passar-lhe a mão pelos cabelos...
Vontade de mudar as cores do vestido (auriverde!) tão feias
De minha pátria, de minha pátria sem sapatos
E sem meias pátria minha
Tão pobrinha!

Porque te amo tanto, pátria minha, eu que não tenho
Pátria, eu semente que nasci do vento
Eu que não vou e não venho, eu que permaneço
Em contato com a dor do tempo, eu elemento
De ligação entre a ação e o pensamento
Eu fio invisível no espaço de todo adeus
Eu, o sem Deus!

Tenho-te no entanto em mim como um gemido
De flor; tenho-te como um amor morrido
A quem se jurou; tenho-te como uma fé
Sem dogma; tenho-te em tudo em que não me sinto a jeito
Nesta sala estrangeira com lareira
E sem pé-direito.

Ah, pátria minha, lembra-me uma noite no Maine, Nova Inglaterra
Quando tudo passou a ser infinito e nada terra
E eu vi *alfa* e *beta* de Centauro escalarem o monte até o céu
Muitos me surpreenderam parado no campo sem luz
À espera de ver surgir a Cruz do Sul
Que eu sabia, mas amanheceu...

Fonte de mel, bicho triste, pátria minha
Amada, idolatrada, salve, salve!
Que mais doce esperança acorrentada
O não poder dizer-te: aguarda...
Não tardo!

Quero rever-te, pátria minha, e para
Rever-te me esqueci de tudo
Fui cego, estropiado, surdo, mudo
Vi minha humilde morte cara a cara
Rasguei poemas, mulheres, horizontes
Fiquei simples, sem fontes.

Pátria minha... A minha pátria não é florão, nem ostenta
Lábaro não; a minha pátria é desolação
De caminhos, a minha pátria é terra sedenta
E praia branca; a minha pátria é o grande rio secular
Que bebe nuvem, come terra
E urina mar.

Mais do que a mais garrida a minha pátria tem
Uma quentura, um querer bem, um bem
Um *libertas quae sera tamen*
Que um dia traduzi num exame escrito:
"Liberta que serás também"
E repito!

Ponho no vento o ouvido e escuto a brisa
Que brinca em teus cabelos e te alisa
Pátria minha, e perfuma o teu chão...
Que vontade me vem de adormecer-me
Entre teus doces montes, pátria minha
Atento à fome em tuas entranhas
E ao batuque em teu coração.

Não te direi o nome, pátria minha
Teu nome é pátria amada, é patriazinha
Não rima com mãe gentil
Vives em mim como uma filha, que és
Uma ilha de ternura: a Ilha
Brasil, talvez.

Agora chamarei a amiga cotovia
E pedirei que peça ao rouxinol do dia
Que peça ao sabiá
Para levar-te presto este avigrama:
"Pátria minha, saudades de quem te ama...
Vinicius de Moraes."

Poema sujo
(trechos)

Ferreira Gullar

                turvo turvo
                a turva
                mão do sopro
                contra o muro
                escuro
                menos menos
                menos que escuro
menos que mole e duro menos que fosso e muro: menos que furo
                escuro
                mais que escuro:
                claro
como água? como pluma? claro mais que claro claro: coisa alguma
                e tudo
                (ou quase)
um bicho que o universo fabrica e vem sonhando desde as entranhas
                azul
                era o gato

azul
era o galo
azul
o cavalo
azul
teu cu

tua gengiva igual a tua bocetinha que parecia sorrir entre as folhas de
banana entre os cheiros de flor e bosta de porco aberta como uma boca
do corpo (não como a tua boca de palavras) como uma entrada para

eu não sabia tu
não sabias
fazer girar a vida
com seu montão de estrelas e oceano
entrando-nos em ti

bela bela
mais que bela
mas como era o nome dela?
Não era Helena nem Vera
nem Nara nem Gabriela
nem Tereza nem Maria
Seu nome seu nome era...
Perdeu-se na carne fria
perdeu-se na confusão de tanta noite e tanto dia
perdeu-se na profusão das coisas acontecidas
constelações de alfabeto
noites escritas a giz
pastilhas de aniversário
domingos de futebol
enterros corsos comícios
roleta bilhar baralho

mudou de cara e cabelos mudou de olhos e risos mudou de casa
e de tempo: mas está comigo está
               perdido comigo
               teu nome
               em alguma gaveta

Que importa um nome a esta hora do anoitecer em São Luís
do Maranhão à mesa do jantar sob uma luz de febre entre irmãos
e pais dentro de um enigma?
                     mas que importa um nome
debaixo deste teto de telhas encardidas vigas à mostra entre
cadeiras e mesa entre uma cristaleira e um armário diante de
garfos e facas e pratos de louças que se quebraram já
               um prato de louça ordinária não dura tanto
               e as facas se perdem e os garfos
               se perdem pela vida caem
               pelas falhas do assoalho e vão conviver com ratos
e baratas ou enferrujam no quintal esquecidos entre os pés de erva-cidreira
e as grossas orelhas de hortelã
               quanta coisa se perde
               nesta vida
               Como se perdeu o que eles falavam ali
               mastigando
               misturando feijão com farinha e nacos de carne assada
e diziam coisas tão reais como a toalha bordada
ou a tosse da tia no quarto
e o clarão do sol morrendo na platibanda em frente à nossa
janela
               tão reais que
               se apagaram para sempre
                     Ou não?

Não sei de que tecido é feita minha carne e essa vertigem
que me arrasta por avenidas e vaginas entre cheiros de gás
e mijo a me consumir como um facho-corpo sem chama,
        ou dentro de um ônibus
        ou no bojo de um Boeing 707 acima do Atlântico
acima do arco-íris
        perfeitamente fora
        do rigor cronológico
        sonhando
Garfos enferrujados facas cegas cadeiras furadas mesas gastas
balcões de quitanda pedras da Rua da Alegria beirais de casas
cobertos de limo muros de musgos palavras ditas à mesa do
jantar,
        voais comigo
        sobre continentes e mares
E também rastejais comigo
pelos túneis das noites clandestinas
        sob o céu constelado do país
        entre fulgor e lepra
debaixo de lençóis de lama e de terror
        vos esgueirais comigo, mesas velhas,
armários obsoletos gavetas perfumadas de passado,
        dobrais comigo as esquinas do susto
        e esperais esperais
que o dia venha
        E depois de tanto
        que importa um nome?
Te cubro de flor, menina, e te dou todos os nomes do mundo:
        te chamo aurora
        te chamo água
te descubro nas pedras coloridas nas artistas de cinema
        nas aparições do sonho
        – E esta mulher a tossir dentro de casa!

Como se não bastasse o pouco dinheiro, a lâmpada fraca,
o perfume ordinário, o amor escasso, as goteiras no inverno.
E as formigas brotando aos milhões negras como golfadas de
dentro da parede (como se aquilo fosse a essência da casa)
E todos buscavam
          num sorriso num gesto
          nas conversas da esquina
          no coito em pé na calçada escura do Quartel
          no adultério
          no roubo
          a decifração do enigma

          – Que faço entre coisas?
          – De que me defendo?
Num cofo no quintal na terra preta cresciam plantas e rosas
          (como pode o perfume
          nascer assim?)
Da lama à beira das calçadas, da água dos esgotos cresciam
pés de tomate
Nos beirais das casas sobre as telhas cresciam capins
          mais verdes que a esperança
          (ou o fogo
          de teus olhos)
Era a vida a explodir por todas as fendas da cidade
                     sob as sombras da
guerra:
          a gestapo a wehrmacht a raf a feb a blitzkrieg catalinas torpedea-
mentos a quinta-coluna os fascistas os nazistas os comunistas o repórter
esso a discussão na quitanda o querosene o sabão de andiroba o mercado
negro o racionamento o blackout as montanhas de metais velhos o italia-
no assassinado na Praça João Lisboa o cheiro de pólvora os canhões ale-
mães troando nas noites de tempestade por cima da nossa casa. Stalingrado resiste.

Por meu pai que contrabandeava cigarros, por meu primo que passava rifa, pelo tio que roubava estanho à Estrada de Ferro, por seu Neco que fazia charutos ordinários, pelo sargento Gonzaga que tomava tiquira com mel de abelha e trepava com a janela aberta,
     pelo meu carneiro manso
     por minha cidade azul
     pelo Brasil salve salve,
   Stalingrado resiste.
   A cada nova manhã
  nas janelas nas esquinas na manchete dos jornais

Mas a poesia não existia ainda.
    Plantas. Bichos. Cheiros. Roupas.
    Olhos. Braços. Seios. Bocas.
    Vidraça verde, jasmim.
    Bicicleta no domingo.
    Papagaios de papel.
    Retreta na praça.
    Luto.
    Homem morto no mercado
    sangue humano nos legumes.
    Mundo sem voz, coisa opaca.

Nem Bilac nem Raimundo. Tuba de alto clangor, lira singela?
Nem tuba nem lira grega. Soube depois: fala humana, voz de gente, barulho escuro do corpo, intercortado de relâmpagos
     Do corpo. Mas que é o corpo?
     Meu corpo feito de carne e de osso.
    Esse osso que não vejo, maxilares, costelas,
    flexível armação que me sustenta no espaço
      que não me deixa desabar como um saco
      vazio
    que guarda as vísceras todas

functionando

como retortas e tubos

fazendo o sangue que faz a carne e o pensamento

e as palavras

e as mentiras

e os carinhos mais doces mais sacanas

mais sentidos

para explodir como uma galáxia

de leite

no centro de tuas coxas no fundo

de tua noite ávida

cheiros de umbigo e de vagina

graves cheiros indecifráveis

como símbolos

do corpo

do teu corpo do meu corpo

corpo

que pode um sabre rasgar

um caco de vidro

uma navalha

meu corpo cheio de sangue

que o irriga como a um continente

ou um jardim

circulando por meus braços

por meus dedos

enquanto discuto caminho

lembro relembro

meu sangue feito de gases que aspiro

dos céus da cidade estrangeira

com a ajuda dos plátanos

e que pode – por um descuido – esvair-se por meu

pulso

aberto

[. . .]

Numa coisa que apodrece
– tomemos um exemplo velho:
                  uma pêra –
   o tempo
   não escorre nem grita,
              antes
      se afunda em seu próprio abismo,
                   se perde
      em sua própria vertigem,
                mas tão sem velocidade
      que em lugar de virar luz vira
      escuridão;
           o apodrecer de uma coisa
           de fato é a fabricação
           de uma noite:
                seja essa coisa
           uma pêra num prato seja
           um rio num bairro operário

          Daí por que na Baixinha
há duas noites metidas uma na outra: a noite
sub-urbana (sem água
     encanada) que se dissipa com o sol
            e a noite sub-humana
            da lama
            que fica
            ao longo do dia
            estendida
            como graxa
            por quilômetros de mangue

a noite alta
do sono (quando
os operários sonham)
e a noite baixa
do lodo embaixo
da casa

uma noite metida na outra
como a língua na boca
eu diria
como uma gaveta de armário
metida no armário (mas
embaixo: o membro na vagina)
ou como roupas pretas
sem uso dentro da gaveta
ou como uma coisa suja
(uma culpa)
dentro de uma pessoa
enfim como
uma gaveta de lama
dentro de um armário de lama,
                                        assim
talvez fosse a noite na Baixinha
princesa negra e coroada
apodrecendo nos mangues
Mas para bem definir essa noite
da Baixinha
                        não se deve separá-la
da gente que vive ali
                        – porque a noite não é
apenas
a conspiração das coisas –
nem separá-la da fábrica
de fios e pano riscado
(de que os homens fazem calças)

onde aquela gente trabalha,
nem do mínimo salário
que aquela gente recebe,
nem separar a fábrica
de lama da fábrica
de fios
nem o fio
do bafio
envenenado na lama
que de feder tantos anos
já é parte daquela gente
                         (como
o cheiro de um bicho pode ser parte
de outro bicho)
                   e a tal ponto
que nenhum deles consegue
lembrar flor alguma que não tenha
aquele azedo de lama
(e não obstante
se amam)

Resta ainda acrescentar
– pra se entender essa noite
proletária –
que um rio não apodrece do mesmo modo
que uma pêra
não apenas porque um rio não apodrece num prato
     mas porque nenhuma coisa apodrece
     como outra
              (nem por outra)
                      e mesmo

uma banana
não apodrece do mesmo modo
que muitas bananas
dentro de
uma tina
    – no quarto de um sobrado
      na Rua das Hortas, a mãe
      passando roupa a ferro –
fazendo vinagre
    – enquanto o bonde Gonçalves Dias
      descia a Rua Rio Branco
      rumo à Praça dos Remédios e outros
      bondes desciam a Rua da Paz
      rumo à Praça João Lisboa
      e ainda outros rumavam
      na direção da Fabril, Apeadouro,
      Jordoa
      (esse era o bonde do Anil
      que nos levava
      para o banho no rio Azul)
e as bananas
fermentando
trabalhando para o dono – como disse Marx –
ao longo das horas mas num ritmo
diferente (muito mais
      grosso) que o do relógio
fazendo vinagre
    – naquele quarto onde dormia
      toda a família e
      se vendiam quiabo e jerimum –
fermentando
    – enquanto Josias, o enfermeiro,
      posava de doutor na quitanda
      de meu pai

        e eu jogava bilhar
    escondido
    no botequim do Constâncio
    na Fonte do Ribeirão –
                 mas
um rio
não faz vinagre
       mesmo que um quitandeiro o ponha para apodrecer
numa tina
um rio
não apodrece como as bananas
nem como, por exemplo,
    uma perna de mulher
             – (da mulher
    que a gente não via
    mas fedia durante toda manhã
    na casa ao lado de nossa escola,
            na época
            da guerra)

um rio não apodrece do mesmo modo que uma perna
    – ainda que ambos fiquem
    com a pele um tanto azulada –
    nem do mesmo modo que um jardim
    (pelo menos em nossa cidade
    sob o demorado relâmpago do verão)

E como nenhum rio apodrece
do mesmo modo que outro rio
assim o rio Anil
apodrecia a seu modo
naquela parte da ilha de São Luís.
Mesmo porque
para que outro rio
pudesse apodrecer como ele
era preciso que viesse
por esse mesmo caminho
passasse no Matadouro
e misturasse seu cheiro de rio ao cheiro
de carniça
e tivesse permanentemente a sobrevoá-lo
uma nuvem de urubus
como acontece com o Anil antes
de dobrar à esquerda
    para perder-se no mar
                     (para de fato
afogar-se, convulso,
nas águas salgadas
da baía
que se intrometem por ele, por suas veias,
por sua carne doce de rio
    que o empurra para trás
    o desarruma
o envenena de sal
e o obriga a apodrecer
                 – já que não pode fluir –
    debaixo das palafitas
    onde moram os operários da Fábrica
de Fiação e Tecidos da Camboa)

Assim apodrece o Anil
ao leste de nossa cidade
que foi fundada pelos franceses em 1612
e que já o encontraram apodrecendo
embora com um cheiro
que nada tinha
do óleo dos navios que entram agora
quase diariamente no porto
nem das fezes que a cidade
vaza em seu corpo de peixes
nem da miséria dos homens
escravos de outros
que ali vivem agora
feito caranguejos.

[. . .]

Ah, minha cidade verde
minha úmida cidade
constantemente batida de muitos ventos
rumorejando teus dias à entrada do mar
minha cidade sonora
esferas de ventania
rolando loucas por cima dos mirantes
e dos campos de futebol
verdes verdes verdes verdes
ah sombra rumorejante
que arrasto por outras ruas

Desce profundo o relâmpago
de tuas águas em meu corpo,
desce tão fundo e tão amplo
e eu me pareço tão pouco
pra tantas mortes e vidas

que se desdobram
no escuro das claridades,
na minha nuca,
no meu cotovelo, na minha arcada dentária
no túmulo da minha boca
palco de ressurreições
inesperadas
(minha cidade
canora)
de trevas que já não sei
se são tuas se são minhas
mas nalgum ponto do corpo (do teu? do meu
corpo?)
lampeja
o jasmim
ainda que sujo da pouca alegria reinante
naquela rua vazia
cheia de sombras e folhas

Desabam as águas servidas
me arrastam por teus esgotos
de paletó e gravata
Me levanto em teus espelhos
me vejo em rostos antigos
te vejo em meus tantos rostos
tidos perdidos partidos
refletido
irrefletido
e as margaridas vermelhas
que sobre o tanque pendiam:
desce profundo
o relâmpago de tuas águas numa
vertigem de vozes brancas ecos de leite

de cuspo morno no membro

o corpo que busca o corpo

No capinzal escondido

naquele capim que era abrigo e afeto

feito cavalo sentindo

o cheiro da terra o cheiro

verde do mato o travo do cheiro novo

do mato novo da vida

viva das coisas

verdes vivendo

longe daquela mobília onde só vive o passado

longe do mundo da morte da doença da vergonha

da traição das cobranças à porta,

ali

bebendo a saúde da terra e das plantas,

buscando

em mim mesmo a fonte de uma alegria

ainda que suja e secreta

o cuspo morno a delícia

do próprio corpo no corpo

e num movimento terrestre

no meio do capim,

celeste o bicho que enfim alça vôo

e tomba

Ah, minha cidade suja

de muita dor em voz baixa

de vergonhas que a família abafa

em suas gavetas mais fundas

de vestidos desbotados

de camisas mal cerzidas

de tanta gente humilhada

comendo pouco

mas ainda assim bordando de flores

suas toalhas de mesa
suas toalhas de centro
de mesa com jarros
     – na tarde
durante a tarde
durante a vida –
        cheios de flores
        de papel crepom
        já empoeiradas
minha cidade doída

Me reflito em tuas águas
recolhidas:
        no copo
d'água
no pote d'água
na tina d'água
no banho nu no banheiro
vestido com as roupas
de tuas águas
que logo me despem e descem
diligentes para o ralo
como se de antemão soubessem
para onde ir
        Para onde
foram essas águas
de tantos banhos de tarde?
Rolamos com aquelas tardes
        no ralo do esgoto
e rolo eu
agora
no abismo dos cheiros

que se desatam na minha
carne na tua, cidade
que me envenenas de ti,
que me arrastas pela treva
me atordoas de jasmim
que de saliva me molhas me atochas
num cu
        rijo me fazes
delirar me sujas
de merda e explodo o meu sonho
em merda.
        Sobre os jardins da cidade
        urino pus. Me extravio
na Rua da Estrela, escorrego
no Beco do Precipício.
Me lavo no Ribeirão.
Mijo na Fonte do Bispo.
Na Rua do Sol me cego,
na Rua da Paz me revolto
na do Comércio me nego
mas na das Hortas floresço;
na dos Prazeres soluço
na da Palma me conheço
        na do Alecrim me perfumo
        na da Saúde adoeço
        na do Desterro me encontro
        na da Alegria me perco
        Na Rua do Carmo berro
        na Rua Direita erro
        e na da Aurora adormeço

Acordo na zona. O dia ladra, navega
    enfunado e azul
       Vôo
com as toalhas brancas
      Vou pousar no sorriso de Isabel
Tropeço num preconceito caio das nuvens
       descubro Marília
me aconchego em suas pétalas como a pomba
do Divino entre rosas na bandeja
    Mas vem junho e me apunhala
    vem julho me dilacera
    setembro expõe meus despojos
    pelos postes da cidade
    (me recomponho mais tarde,
    costuro as partes, mas os intestinos
    nunca mais funcionarão direito)

    Prego a subversão da ordem
    poética, me pagam. Prego
    a subversão da ordem política,
    me enforcam junto ao campo de tênis dos ingleses
    na Avenida Beira-Mar
        (e os canários,
    nem-seu-souza: improvisam
    em sua flauta de prata)

    Vendo o que tenho e mudo
    para a capital do país.

(Se tivesse me casado com Maria de Lourdes,
meus filhos seriam dourados uns, outros
morenos de olhos verdes
e eu terminaria deputado e membro
da Academia Maranhense de Letras;
se tivesse me casado com Marília,
teria me suicidado na discoteca da Rádio Timbira)

Mas na cidade havia
muita luz,
        a vida
fazia rodar o século nas nuvens
                sobre nossa varanda
por cima de mim e das galinhas no quintal
               por cima
do depósito onde mofavam
paneiros de farinha
          atrás da quitanda,
                 e era pouco
viver, mesmo
no salão de bilhar, mesmo
no bar do Castro, na pensão
da Maroca nas noites de sábado, era pouco
            banhar-se e descer a pé
para a cidade de tarde
(sob o rumor das árvores)
              ali
          no norte do Brasil
          vestido de brim.

      E por ser pouco
      era muito,
           que pouco muito era o verde
fogo da grama, o musgo do muro, galo
que vai morrer,
a louça na cristaleira,
o doce na compoteira, a falta
de afeto, a busca
do amor nas coisas.
          Não nas pessoas:
nas coisas, na muda carne
das coisas, na cona da flor, no oculto
falar das águas sozinhas:
            que a vida
passava por sobre nós,
       de avião.
. . . .

Quarta Parte

Fragmentos de um discurso vertiginoso

A partir dos anos 60, a poesia reflete as crises culturais que marcaram a última parte do século. Revolução feminista, liberação sexual, ódio à burguesia e ao capitalismo, luta contra a ditadura no Brasil, reação ecológica. São tempos vertiginosos, mais de contracultura que de cultura. O poema abandona pretensões de grandeza ou grandiloqüência. O poema típico do fim do século é pós-canônico, anticanônico ou paracanônico, jamais canônico. Até mesmo o cânone do verso discursivo foi atacado pela vanguarda concretista dos anos 50/60, com seus poemas gráfico-visuais. Muda a relação entre o erudito e o popular: trata-se agora de dar a voz diretamente ao poeta de cordel e não mais de imitá-lo. O espírito da cultura *pop* cada vez mais domina tudo. O poema volta-se para a circunstância imediata da vida, valorizando-se aquilo que no cânone é considerado "menor" como tema ou como gênero poético. Os poetas já não querem falar em nome da nação ou do povo e sim relatar a experiência de sua geração, a experiência do conflito de gerações que marcou os anos 60/70. A poesia incorpora o impuro, o pequeno, o obsceno.

Com licença poética

Adélia Prado

Quando nasci um anjo esbelto,
desses que tocam trombeta, anunciou:
vai carregar bandeira.
Cargo muito pesado pra mulher,
esta espécie ainda envergonhada.
Aceito os subterfúgios que me cabem,
sem precisar mentir.
Não sou tão feia que não possa casar,
acho o Rio de Janeiro uma beleza e
ora sim, ora não, creio em parto sem dor.
Mas o que sinto escrevo. Cumpro a sina.
Inauguro linhagens, fundo reinos
– dor não é amargura.
Minha tristeza não tem pedigree,
já a minha vontade de alegria,
sua raiz vai ao meu mil avô.
Vai ser coxo na vida é maldição pra homem.
Mulher é desdobrável. Eu sou.

"olho muito tempo o corpo
de um poema"

Ana Cristina Cesar

olho muito tempo o corpo de um poema
até perder de vista o que não seja corpo
e sentir separado dentre os dentes
um filete de sangue
nas gengivas

A piedade

Roberto Piva

Eu urrava nos poliedros da Justiça meu momento
[abatido na extrema
   paliçada
os professores falavam da vontade de dominar e da
[luta pela vida

as senhoras católicas são piedosas
os comunistas são piedosos
os comerciantes são piedosos
só eu não sou piedoso
se eu fosse piedoso meu sexo seria dócil e só se ergueria
   aos sábados à noite
eu seria um bom filho meus colegas me chamariam
[cu-de-ferro e me
   fariam perguntas por que navio bóia? por
   que prego afunda?

eu deixaria proliferar uma úlcera e admiraria as
[estátuas de
   fortes dentaduras

iria a bailes onde eu não poderia levar meus amigos
[pederastas ou barbudos
eu me universalizaria no senso comum e eles diriam
[que tenho
todas as virtudes
eu não sou piedoso
eu nunca poderei ser piedoso
meus olhos retinem e tingem-se de verde
Os arranha-céus de carniça se decompõem nos
[pavimentos
os adolescentes nas escolas bufam como cadelas
[asfixiadas
arcanjos de enxofre bombardeiam o horizonte através
[dos meus sonhos

O homem que deu à luz um menino
(poema de cordel)

Manoel Caboclo

O poeta é um repórter
De pensamento ligado
Ouvindo o que o povo diz
Fazendo todo apanhado
E sai contando na rua
Tudo quanto foi passado

Se viu na televisão
Contando toda verdade
Que um cientista disse
Que há possibilidade
De um homem ter um filho
Havendo oportunidade

Agora chegou o tempo
Das coisas tudo mudar
O homem ficar em casa
E a mulher vai trabalhar
Não querendo ter mais filhos
Mandando a trompa ligar

Com esse aperto de vida
Aumenta o peso da cruz
A fome avança no lar
O dinheiro se reduz
Apareceu este meio
Para o homem dar à luz

Começou por Zé Totonho
Maria da Conceição.
A mulher disse para ele:
Vou fazer a ligação
Eu não quero mais ter filhos.
Totonho disse: isto não

Ele disse Mariquinha
Isto você não arranja
Porque deixa a mulher fria
Igual a um pinto de granja
A mulher disse eu vou
Nem que o diabo "franja"

A mulher do meu vizinho
Tem quase setenta anos
Fez agora a ligação
Para não perder os planos
E eu vou fazer também
Pra não haver desenganos

Seguiu dali foi ao médico
E fez logo a ligação
Para nunca mais ter filhos.
Totonho disse então:
Saiba que eu vou embora
E arrumou o matulão

Daquele dia por diante
Totonho se ausentou
E não dormiu mais em casa
Num cabaré se arranchou
Quando menos esperava
Totonho engravidou

Nisto ele conheceu
Que a mulher tinha razão,
Vendo o bucho crescer
Totonho passava a mão
O menino dava pulos
Parecia um tubarão

Segurado numa corda
Totonho em agonia
Se contorcendo de dores
O menino estremecia
E a negrada dizendo:
Zé Totonho vai dá cria?

Chamaram dona Maria
Para pegar a criança
A parteira experiente
Disse logo sem tardança
Pra este menino nascer
Precisa cortar a pança

Mandaram chamar um médico
Que era a única esperança
Quando o médico chegou
De Totonho cortou a pança
No dia 4 de agosto
Nasceu a dita criança

Deu-se um grande rebuliço
Quando o menino nasceu
Às doze horas da noite
Um terremoto se deu
Pro lado do estrangeiro
Que muita gente morreu

Os galos se espantaram
Numa zoada tremenda
Os cachorros alarmaram
Numa enorme contenda
Todo povo admirado
De ver aquela legenda

Nisto o menino falou
Para o povo que assistia
Dizendo meu pai agora
Me leve à água da pia
Porque este mundo velho
Está chegando o último dia

Desde o ano de oitenta
Quando começou o jogo
As coisas mudaram muito
O mundo vai pegar fogo
Já foi marcado por Deus
Não adianta mais rogo

Logo o menino calou-se
O pai ficou conformado
Dizendo isto acontece
A quem está desempregado
Mas minha mulher trabalha
Vai criá-lo com cuidado

Mariquinha disse: Totonho
A preguiça é um horror
Quando se perde o emprego
Procura outro qualquer for
Pois nunca falta serviço
Pro homem trabalhador

Totonho lhe respondeu:
O trabalho é muito ruim
Abandonei a enxada
Pode ela levar fim
Quando eu puxava por ela
Ela puxava por mim

É melhor se ter um filho
E durante seu resguardo
Beber caldo de urubu
Comer cururu torrado
Ou ser um guia de cego
De que ir para o roçado

A mulher disse Totonho
Esse ato é muito baixo
Eu não sou bananeira
Pra criar filho de macho
Vou chamar Zé capador
Para derribar-lhe o caixo

Luxo

Augusto de Campos

Antifamília

Affonso Ávila

"... o inveterado costume da sensualidade destas Minas."

Dom Frei Antônio de Guadalupe
(Determinação pastoral de 2 de dezembro de 1726)

Com seus responsos
    (com seus esconsos
de missa e beatismo
    de omisso batismo
de sons velados e glórias
    de sonegada história
as filhas de Maria
    os filhos de Marília)

Com seus brasões
    (com seus bastardos
de terras e franquias
    de secreta família
de empáfia e de ancestrais
    de ímpia mancebia

o pai dos Melo Franco
    o padre Melo Franco)

Com seu morgadio
    (com seu moradio
de alta e ornada homilia
    de alternada comida
de reses e armada fama
    de revezada cama
o ar másculo de Joaquina
    os amásios de Joaquina)

Com sua reação
    (com suas relações
de perverso sarcasmo
    de controverso caso
de cínico escravismo
    de insinuado vício
o cérebro ágil de Vasconcelos
    o celibato de Vasconcelos)

Com sua docência
    (com sua ciência
de versados políticos
    de versáteis polacas
de óbvios humoristas
    de hábeis humanistas
as academias do Olimpo
    o cabaré da Olympia)

Com suas astúcias
    (com suas estufas
de espórtulas à Virgem
    de espoliadas virgens

de preço a cada homem
        de pregustados hímens
os votos de Luciano
        os ócios de Luciano)

Com sua fala-cívica
        (com sua lascívia
de metáforas e ungüento
        de amestradas línguas
de arquicifras e ênfase
        de reversíveis fêmeas
a demagogia do presidente
        as orgias do presidente)

Com suas bandinhas
        (com suas blandícias
de aplausos e votos
        de falseada voz
de súplicas e séquito
        de suspeitoso sexo
os efêmeros ministros
        os efebos do ministro)

Com suas poses
        (com suas apostas
de pai-da-pátria
        de páreo a páreo
de cavaleiro-do-mérito
        de caviloso método
a roupa preta do senador
        a roleta do senador)

Com sua retórica
    (com suas retortas
de diz-que de urge-que
    de uísque e uísque
de eis-que de pois-que
    de uísque e uísque
o ar degas do deputado
    as adegas do deputado)

Com sua crosta
    (com sua crônica
de cera e diamantes
    de seriados amantes
de recintados balofos
    de reincidentes abortos
as deselegantes senhoras
    as dezmaiselegantes senhoras)

Com seus opostos
    (com seus opróbrios
de usura e de abuso
    de usurário abuso
de clausura e de uso
    de enclausurado uso
a família mineira
    a antifamília mineira)

Agosto 1964

Ferreira Gullar

Entre lojas de flores e de sapatos, bares,
      mercados, butiques,
viajo
      num ônibus Estrada de Ferro–Leblon.
      Volto do trabalho, a noite em meio,
      fatigado de mentiras.

O ônibus sacoleja. Adeus, Rimbaud,
relógio de lilases, concretismo,
neoconcretismo, ficções da juventude, adeus,
      que a vida
      eu a compro à vista aos donos do mundo.
      Ao peso dos impostos, o verso sufoca,
a poesia agora responde a inquérito policial-militar.

      Digo adeus à ilusão
mas não ao mundo. Mas não à vida,
meu reduto e meu reino.
      Do salário injusto,

    da punição injusta,
    da humilhação, da tortura,
    do terror,
retiramos algo e com ele construímos um artefato

um poema
uma bandeira

Cogito

Torquato Neto

eu sou como eu sou
pronome
pessoal intransferível
do homem que iniciei
na medida do impossível

eu sou como eu sou
agora
sem grandes segredos dantes
sem novos secretos dentes
nesta hora

eu sou como eu sou
presente
desferrolhado indecente
feito um pedaço de mim

eu sou como eu sou
vidente
e vivo tranqüilamente
todas as horas do fim.

rápido e rasteiro

Chacal

vai ter uma festa
que eu vou dançar
até o sapato pedir pra parar.

aí eu paro
tiro o sapato
e danço o resto da vida.

Ycatu*

Olga Savary

E assim vou
com a fremente mão do mar em minhas coxas.
Minha paixão? Uma armadilha de água,
rápida como peixes,
lenta como medusas,
muda como ostras.

* Do tupi: água boa

Negro forro

Adão Ventura

minha carta de alforria
não me deu fazendas,
nem dinheiro no banco,
nem bigodes retorcidos.

minha carta de alforria
costurou meus passos
aos corredores da noite
de minha pele.

Jogos florais

Cacaso

I

Minha terra tem palmeiras
onde canta o tico-tico.
Enquanto isso o sabiá
vive comendo o meu fubá.

Ficou moderno o Brasil
ficou moderno o milagre:
a água já não vira vinho,
vira direto vinagre.

II

Minha terra tem Palmares
memória cala-te já.
Peço licença poética
Belém capital Pará.

Jogos florais

Bem, meus prezados senhores
dado o avançado da hora
errata e efeitos do vinho
o poeta sai de fininho.

(será mesmo com dois esses
que se escreve paçarinho?)

Sintonia para pressa
e presságio

Paulo Leminski

Escrevia no espaço.
Hoje, grafo no tempo,
        na pele, na palma, na pétala,
luz do momento.
        Sôo na dúvida que separa
o silêncio de quem grita
        do escândalo que cala,
no tempo, distância, praça,
        que a pausa, asa, leva
para ir do percalço ao espasmo.

        Eis a voz, eis o deus, eis a fala,
eis que a luz se acendeu na casa
        e não cabe mais na sala.

Geração Paissandu

Paulo Henriques Britto

Vim, como todo mundo,
do quarto escuro da infância,
mundo de coisas e ânsias indecifráveis,
de só desejo e repulsa.
Cresci com a pressa de sempre.

Fui jovem, com a sede de todos,
em tempo de seco fascismo.
Por isso não tive pátria, só discos.
Amei, como todos pensam.
Troquei carícias cegas nos cinemas,
li todos os livros, acreditei
em quase tudo por ao menos um minuto,
provei do que pintou, adolesci.

Vi tudo que vi, entendi como pude.
Depois, como de direito,
endureci. Agora a minha boca
não arde tanto de sede.
As minhas mãos é que coçam –
vontade de destilar
depressa, antes que esfrie,
esse caldo morno de vida.

Carta de Paris

Ana Cristina Cesar

I

Eu penso em você, minha filha. Aqui lágrimas fracas, dores mínimas, chuvas outonais apenas esboçando a majestade de um choro de viúva, águas mentirosas fecundando campos de melancolia,

tudo isso de repente iluminou minha memória quando cruzei a ponte sobre o Sena. A velha Paris já terminou. As cidades mudam mas meu coração está perdido, e é apenas em delírio que vejo

campos de batalha, museus abandonados, barricadas, avenida ocupada por bandeiras, muros com a palavra, palavras de ordem desgarradas; apenas em delírio vejo

Anaïs de capa negra bebendo com Henry no café, Jean à la garçonne cruzando com Jean Paul nos Elysées, Gene dançando à meia-luz com Leslie fazendo de francesa, e Charles que flana e desespera e volta para casa com frio da manhã e pensa na Força de trabalho que desperta, na fuga da gaiola, na sede no deserto, na dor que toma conta, lama dura, pó, poeira, calor inesperado na cidade, garganta ressecada,

talvez bichos que falam, ou exilados com sede que num instante esquecem que esqueceram e escapam do mito estranho e fatal da terra amada, onde há tempestades, e olham de viés

o céu gelado, e passam sem reproches, ainda sem poderem dizer que voltar é impreciso, desejo inacabado, ficar, deixar, cruzar a ponte sobre o rio.

II
Paris muda! mas minha melancolia não se move. Beaubourg, Forum des Halles, metrô profundo, ponte impossível sobre o rio, tudo vira alegoria: minha paixão pesa como pedra.

Diante da catedral vazia a dor de sempre me alimenta. Penso no meu Charles, com seus gestos loucos e nos profissionais do não retorno, que desejam Paris sublime para sempre, sem trégua, e penso em você,

minha filha viúva para sempre, prostituta, travesti, bagagem do disk jockey que te acorda no meio da manhã, e não paga adiantado, e desperta teus sonhos de noiva protegida, e penso em você,

amante sedutora, mãe de todos nós perdidos em Paris, atravessando pontes, espalhando o medo de voltar para as luzes trêmulas dos trópicos, o fim dos sonhos deste exílio, as aves que aqui gorjeiam, e penso enfim, do nevoeiro,

em alguém que perdeu o jogo para sempre, e para sempre procura as tetas da Dor que amamenta a nossa fome e embala a orfandade esquecida nesta ilha, neste parque

onde me perco e me exilo na memória; e penso em Paris que enfim me rende, na bandeira branca desfraldada, navegantes esquecidos numa balsa, cativos, vencidos, afogados... e em outros mais ainda!

Casamento

Adélia Prado

Há mulheres que dizem:
Meu marido, se quiser pescar, pesque,
mas que limpe os peixes.
Eu não. A qualquer hora da noite me levanto,
ajudo a escamar, abrir, retalhar e salgar.
É tão bom, só a gente sozinhos na cozinha,
de vez em quando os cotovelos se esbarram,
ele fala coisas como 'este foi difícil'
'prateou no ar dando rabanadas'
e faz o gesto com a mão.
O silêncio de quando nos vimos a primeira vez
atravessa a cozinha como um rio profundo.
Por fim, os peixes na travessa,
vamos dormir.
Coisas prateadas espocam:
somos noivo e noiva.

Rude-suave amigo

Dora Ferreira da Silva

Henry Miller planando no espaço em rudes soluços:
"Sofro como um animal. Sou como um animal. Ninguém pode ajudar-me.
Ninguém é forte para tal esforço." Anaïs a dizer-lhe
que a força é questão de ritmo. Quem não precisa
ser socorrido alguma vez? Mas é preciso humanamente
aproximar-se dos outros. "Mas tu – Henry – pareces incapaz
de ficar próximo de alguém." O mesmo diálogo se repete
entre eles elas em outras latitudes, tempos diferentes.
Trabalham juntos à beira da loucura, odiados e louvados
em dias consecutivos por sucessivas pessoas ou pelas mesmas.
Gêmeos divinos que a insanidade transforma em pactuários.
Sempre ficam à margem ou no centro instável de uma
compreensão equivocada. Entre céu e terra os ecos
inumeráveis desse diálogo. Comunhão e distância – coisas tão diversas!
Próximos apenas da solidão comungam na missa
de todos os dias e de todos os santos.

Do desejo
(trechos)

Hilda Hilst

I

Porque há desejo em mim, é tudo cintilância.
Antes, o cotidiano era um pensar alturas
Buscando Aquele Outro decantado
Surdo à minha humana ladradura.
Visgo e suor, pois nunca se faziam.
Hoje, de carne e osso, laborioso, lascivo
Tomas-me o corpo. E que descanso me dás
Depois das lidas. Sonhei penhascos
Quando havia o jardim aqui ao lado.
Pensei subidas onde não havia rastros.
Extasiada, fodo contigo
Ao invés de ganir diante do Nada.

IV

Se eu disser que vi um pássaro
Sobre o teu sexo, deverias crer?
E se não for verdade, em nada mudará o Universo.
Se eu disser que o desejo é Eternidade
Porque o instante arde interminável
Deverias crer? E se não for verdade
Tantos o disseram que talvez possa ser.
No desejo nos vêm sofomanias, adornos
Impudência, pejo. E agora digo que há um pássaro
Voando sobre o Tejo. Por que não posso
Pontilhar de inocência e poesia
Ossos, sangue, carne, o agora
E tudo isso em nós que se fará disforme?

V

Existe a noite, e existe o breu.
Noite é o velado coração de Deus
Esse que por pudor não mais procuro.
Breu é quando tu te afastas ou dizes
Que viajas, e um sol de gelo
Petrifica-me a cara e desobriga-me
De fidelidade e de conjura. O desejo
Este da carne, a mim não me faz medo.
Assim como me veio, também não me avassala.
Sabes por quê? Lutei com Aquele.
E dele também não fui lacaia.

A bunda, que engraçada

Carlos Drummond de Andrade

A bunda, que engraçada.
Está sempre sorrindo, nunca é trágica.

Não lhe importa o que vai
pela frente do corpo. A bunda basta-se.
Existe algo mais? Talvez os seios.
Ora – murmura a bunda – esses garotos
ainda lhes falta muito que estudar.

A bunda são duas luas gêmeas
em rotundo meneio. Anda por si
na cadência mimosa, no milagre
de ser duas em uma, plenamente.

A bunda se diverte
por conta própria. E ama.
Na cama agita-se. Montanhas
avolumam-se, descem. Ondas batendo
numa praia infinita.

Lá vai sorrindo a bunda. Vai feliz
na carícia de ser e balançar.
Esferas harmoniosas sobre o caos.

A bunda é a bunda,
redunda.

Carlos Drummond de Andrade © Graña Drummond / www.carlosdrummond.com.br

Alcoólicas
(trechos)

Hilda Hilst

I   *a Jamil Snege*

É crua a vida. Alça de tripa e metal.
Nela despenco: pedra mórula ferida.
É crua e dura a vida. Como um naco de víbora.
Como-a no livor da língua
Tinta, lavo-te os antebraços, Vida, lavo-me
No estreito-pouco
Do meu corpo, lavo as vigas dos ossos, minha vida
Tua unha plúmbea, meu casaco *rosso*.
E perambulamos de coturno pela rua
Rubras, góticas, altas de corpo e copos.
A vida é crua. Faminta como o bico dos corvos.
E pode ser tão generosa e mítica: arroio, lágrima
Olho d'água, bebida. A vida é líquida.

II

Também são cruas e duras as palavras e as caras
Antes de nos sentarmos à mesa, tu e eu, Vida
Diante do coruscante ouro da bebida. Aos poucos
Vão se fazendo remansos, lentilhas d'água, diamantes
Sobre os insultos do passado e do agora. Aos poucos
Somos duas senhoras, encharcadas de riso, rosadas
De um amora, um que entrevi no teu hálito, amigo
Quando me permitiste o paraíso. O sinistro das horas
Vai se fazendo tempo de conquista. Langor e sofrimento
Vão se fazendo olvido. Depois deitadas, a morte
É um rei que nos visita e nos cobre de mirra.
Sussurras: ah, a vida é líquida.

III

Alturas, tiras, subo-as, recorto-as
E pairamos as duas, eu e a Vida
No carmim da borrasca. Embriagadas
Mergulhamos nítidas num borraçal que coaxa.
Que estilosa galhofa. Que desempenados
Serafins. Nós duas nos vapores
Lobotômicas líricas, e a gaivagem
se transforma em galarim, e é translúcida
A lama e é extremoso o Nada.
Descasco o dementado cotidiano
E seu rito pastoso de parábolas.
Pacientes, canonisas, muito bem-educadas
Aguardamos o tépido poente, o copo, a casa.

Ah, o todo se dignifica quando a vida é líquida.

IX

Se um dia te afastares de mim, Vida – o que não creio
Porque algumas intensidades têm a parecença da bebida –
Bebe por mim paixão e turbulência, caminha
Onde houver uvas e papoulas negras (inventa-as)
Recorda-me, Vida: passeia meu casaco, deita-te
Com aquele que sem mim há de sentir um prolongado
vazio.
Empresta-lhe meu coturno e meu casaco *rosso*:
compreenderá
O porquê de buscar conhecimento na embriaguês da via
manifesta.
Pervaga. Deita-te comigo. Apreende a experiência lésbica:
O êxtase de te deitares contigo. Beba.
Estilhaça a tua própria medida.

Fim-de-século

Armando Freitas Filho

Heroína. Não conheci sua guerra
as lendas e os hinos frios
levados de boca em boca
na velocidade funil das ruas.
Não provei o doce-amargo
de sua conquista e posse
da delícia
de afrouxar todos os laços
logo após a hora H do encontro
e ouvir sem armas
as árias estáticas e virtuais
de suas vitórias e aporias imóveis.
Nem vi sua bandeira pintada
no céu sem vento
podendo, chegada a paz
perder as cores e morrer sem medo
rasgada como uma rosa clássica
que só se declina em latim
pétala a pétala.

Penso então no pensamento parado
de suas estátuas
que contemplam e completam
com a poesia do intervalo
as próprias ruínas abandonadas
num eterno domingo.
E apenas escrevo seu nome e atuação
neste livro de ocorrências, heroína.

Galáxias

(trechos)

Haroldo de Campos

e começo aqui e meço aqui este começo e recomeço e remeço e arremesso
e aqui me meço quando se vive sob a espécie da viagem o que importa
não é a viagem mas o começo da por isso meço por isso começo escrever
mil páginas escrever milumapáginas para acabar com a escritura para
começar com a escritura para acabarcomeçar com a escritura por isso
recomeço por isso arremeço por isso teço escrever sobre escrever é
o futuro do escrever sobrescrevo sobrescravo em milumanoites milumapáginas ou uma página em uma noite que é o mesmo noites e páginas
mesmam emsimesmam onde o fim é o começo onde escrever sobre o escrever
é não escrever sobre não escrever e por isso começo descomeço pelo
descomêço desconheço e me teço um livro onde tudo seja fortuito e
forçoso um livro onde tudo seja não esteja seja um umbigodomundolivro
um umbigodolivromundo um livro de viagem onde a viagem seja o livro
o ser do livro é a viagem por isso começo pois a viagem é o começo
e volto e revolto pois na volta recomeço reconheço remeço um livro
é o conteúdo do livro e cada página de um livro é o conteúdo do livro
e cada linha de uma página e cada palavra de uma linha é o conteúdo
da palavra da linha da página do livro um livro ensaia o livro
todo livro é um livro de ensaio de ensaios do livro por isso o fim-
comêço começa e fina recomeça e refina se afina o fim no funil do
começo afunila o começo no fuzil do fim no fim do fim recomeça o
recomêço refina o refino do fim e onde fina começa e se apressa e
regressa e retece há milumaestórias na mínima unha de estória por
isso não conto por isso não canto por isso a nãoestória me desconta
ou me descanta o avesso da estória que pode ser escória que pode
ser cárie que pode ser estória tudo depende da hora tudo depende
da glória tudo depende de embora e nada e néris e reles e nemnada
de nada e nures de néris de reles de ralo de raro e nacos de necas
e nanjas de nullus e nures de nenhures e nesgas de nulla res e
nenhumzinho de nemnada nunca pode ser tudo pode ser todo pode ser total

tudossomado todo somassuma de tudo suma somatória do assomo do assombro
e aqui me meço e começo e me projeto eco do começo eco do eco de um
começo em eco no soco de um começo em eco no oco eco de um soco
no osso e aqui ou além ou aquém ou láacolá ou em toda parte ou em
nenhuma parte ou mais além ou menos aquém ou mais adiante ou menos atrás
ou avante ou paravante ou à ré ou a raso ou a rés começo re começo
rés começo raso começo que a unha-de-fome da estória não me come
não me consome não me doma não me redoma pois no osso do começo só
conheço o osso o osso buco do começo a bossa do começo onde é viagem
onde a viagem é maravilha de tornaviagem é tornassol viagem de maravilha
onde a migalha a maravalha a apara é maravilha é vanilla é vigília
é cintila de centelha é favila de fábula é lumínula de nada e descanto
a fábula e desconto as fadas e conto as favas pois começo a fala

. . . .

circuladô de fulô ao deus ao demodará que deus te guie porque eu não
posso guiá eviva quem já me deu circuladô de fulô e ainda quem falta me
dá soando como um shamisen e feito apenas com um arame tenso um cabo e
uma lata velha num fim de festafeira no pino do sol a pino mas para
outros não existia aquela música não podia porque não podia popular
aquela música se não canta não é popular se não afina não tintina não
tarantina e no entanto puxada na tripa da miséria na tripa tensa da mais
megera miséria física e doendo doendo como um prego na palma da mão um
ferrugem prego cego na palma espalma da mão coração exposto como um nervo
tenso retenso um renegro prego cego durando na palma polpa da mão ao sol
enquanto vendem por magros cruzeiros aquelas cuias onde a boa forma é
magreza fina da matéria mofina forma de fome o barro malcozido no choco
do desgôsto até que os outros vomitem os seus pratos plásticos de bordados
rebordos estilo império para a megera miséria pois isto é popular para
os patronos do povo mas o povo cria mas o povo engenha mas o povo cavila
o povo é o inventalínguas na malícia da mestria no matreiro da maravilha
no visgo do improviso tenteando a travessia azeitava o eixo do sol
pois não tinha serventia metáfora pura ou quase o povo é o melhor artífice
no seu martelo galopado no crivo do impossível no vivo do inviável
no crisol do incrível do seu galope martelado e azeite e eixo do sol
mas aquele fio aquele fio aquele gumefio azucrinado dentedoendo como
um fio demente plangendo seu viúvo desacorde num ruivo brasa de uivo
esfaima circuladô de fulô circuladô de fulô circuladô de fulôôô
porque eu não posso guiá veja este livro material de consumo este aodeus
aodemodarálivro que eu arrumo e desarrumo que eu uno e desuno vagagem
de vagamundo na virada do mundo que deus que demo te guie então porque eu
não posso não ouso não pouso não troço não toco não troco senão nos meus
miúdos nos meus réis nos meus anéis nos meus dez nos meus menos nos meus
nadas nas minhas penas nas antenas nas galenas nessas ninhas mais pequenas
chamadas de ninharias como veremos verbenas açúcares açucenas ou

circunstâncias somenas tudo isso eu sei não conta tudo isso desaponta não
sei mas ouça como canta louve como conta prove como dança e não peça que
eu te guie não peça despeça que eu te guie desguie que eu te peça promessa
que eu te fie me deixe me esqueça me largue me desamargue que no fim eu
acerto que no fim eu reverto que no fim eu conserto e para o fim me reservo
e se verá que estou certo e se verá que tem jeito e se verá que está feito
que pelo torto fiz direito que quem faz cesto faz cento se não guio
não lamento pois o mestre que me ensinou já não dá ensinamento bagagem de
miramundo na miragem do segundo que pelo avesso fui dextro sendo avesso
pelo sestro não guio porque não guio porque não posso guiá e não me peça
memento mas more no meu momento desmande meu mandamento e não fie desafie
e não confie desfie que pelo sim pelo não para mim prefiro o não
no senão do sim ponha o não no im de mim ponha o não o não será tua demão

. . . .

A uma passante pós-baudelairiana

Carlito Azevedo

Sobre esta pele branca
um calígrafo oriental
teria gravado
sua escrita luminosa
– sem esquecer entanto
a boca: um ícone em rubro
tornando mais fogo
o céu de outubro

tornando mais água
a minha sede
sede de dilúvio –

Talvez este poeta afogado
nas ondas de algum danúbio imaginário
dissesse que seus olhos são
duas machadinhas de jade

escavando o constelário noturno
(a partir do que comporia
duzentas odes cromáticas)

mas eu que venero mais que o ouro-verde raríssimo
o marfim em alta-alvura
de teu andar em desmesura sobre
uma passarela de relâmpagos súbitos
sei que tua pele pálida de papel
pede palavras de luz

Algum mozárabe ou andaluz decerto
te dedicaria um concerto
para guitarras mouriscas e
cimitarras suicidas

Mas eu te dedico quando passas
me fazendo fremir

(entre tantos circunstantes, raptores fugidios)

este tiroteio de silêncios
esta salva de arrepios.

O jangadeiro

Adriano Espínola

Jangadas amarelas, azuis, brancas,
logo invadem o verde mar bravio,
o mesmo que Iracema, em arrepio,
sentiu banhar de sonho as suas ancas.
Que importa a lenda, ao longe, na história,
se elas cruzam, ligeiras, nesse instante,
o horizonte esticado da memória,
tornando o que se vê mito incessante?
As velas vão e voltam, incontidas,
sobre as ondas (do tempo). O jangadeiro
repete antigos gestos de outras vidas
feitas de sal e sonho verdadeiro.
Qual Ulisses, buscando, repentino,
a sua ilha, o seu rosto e o seu destino.

Uma didática da invenção

Manoel de Barros

I

Para apalpar as intimidades do mundo é preciso saber:

a) Que o esplendor da manhã não se abre com faca
b) O modo como as violetas preparam o dia para morrer
c) Por que é que as borboletas de tarjas vermelhas têm devoção por túmulos
d) Se o homem que toca de tarde sua existência num fagote, tem salvação
e) Que um rio que flui entre 2 jacintos carrega mais ternura que um rio que flui entre 2 lagartos
f) Como pegar na voz de um peixe
g) Qual o lado da noite que umedece primeiro.
etc
etc
etc
Desaprender 8 horas por dia ensina os princípios.

II

Desinventar objetos. O pente, por exemplo.
Dar ao pente funções de não pentear. Até que
ele fique à disposição de ser uma begônia. Ou
uma gravanha.

Usar algumas palavras que ainda não tenham
idioma.

III

Repetir repetir – até ficar diferente.
Repetir é um dom do estilo.

IV

No Tratado das Grandezas do Ínfimo estava
escrito:
Poesia é quando a tarde está competente para
dálias.
É quando
Ao lado de um pardal o dia dorme antes.
Quando o homem faz sua primeira lagartixa.
É quando um trevo assume a noite
E um sapo engole as auroras.

V

Formigas carregadeiras entram em casa de bunda.

VI

As coisas que não têm nome são mais pronunciadas
por crianças.

VII

No descomeço era o verbo.
Só depois é que veio o delírio do verbo.
O delírio do verbo estava no começo, lá
onde a criança diz: *Eu escuto a voz dos
passarinhos.*
A criança não sabe que o verbo escutar não
funciona para cor, mas para som.
Então se a criança muda a função de um
verbo, ele delira.
E pois.
Em poesia que é voz de poeta, que é a voz
de fazer nascimentos –
O verbo tem que pegar delírio.

VIII

Um girassol se apropriou de Deus: foi em
Van Gogh.

IX

Para entrar em estado de árvore é preciso
partir de um torpor animal de lagarto às
3 horas da tarde, no mês de agosto.
Em 2 anos a inércia e o mato vão crescer
em nossa boca.

Sofreremos alguma decomposição lírica até
o mato sair na voz.

Hoje eu desenho o cheiro das árvores.

X

Não tem altura o silêncio das pedras.

XI

Adoecer de nós a Natureza:
– Botar aflição nas pedras
(Como fez Rodin).

XII

Pegar no espaço contigüidades verbais é o
mesmo que pegar mosca no hospício para dar
banho nelas.
Essa é uma prática sem dor.
É como estar amanhecido a pássaros.

Qualquer defeito vegetal de um pássaro pode
modificar os seus gorjeios.

XIII

As coisas não querem mais ser vistas por
pessoas razoáveis:
Elas desejam ser olhadas de azul –
Que nem uma criança que você olha de ave.

XIV

Poesia é voar fora da asa.

XV

Aos blocos semânticos dar equilíbrio. Onde o
abstrato entre, amarre com arame. Ao lado de
um primal deixe um termo erudito. Aplique na
aridez intumescências. Encoste um cago ao
sublime. E no solene um pênis sujo.

XVI

Entra um chamejamento de luxúria em mim:
Ela há de se deitar sobre meu corpo em toda
a espessura de sua boca!
Agora estou varado de entremências.
(Sou pervertido pelas castidades? Santificado
pelas imundícias?)

Há certas frases que se iluminam pelo opaco.

XVII

Em casa de caramujo até o sol encarde.

XVIII

As coisas da terra lhe davam gala.
Se batesse um azul no horizonte seu olho
entoasse.
Todos lhe ensinavam para inútil
Aves faziam bosta nos seus cabelos.

XIX

O rio que fazia uma volta atrás de nossa casa
era a imagem de um vidro mole que fazia uma
volta atrás de casa.
Passou um homem depois e disse: Essa volta
que o rio faz por trás de sua casa se chama
enseada.
Não era mais a imagem de uma cobra de vidro
que fazia uma volta atrás de casa.
Era uma enseada.
Acho que o nome empobreceu a imagem.

XX

Lembro um menino repetindo as tardes naquele
quintal.

XXI

Ocupo muito de mim com o meu desconhecer.
Sou um sujeito letrado em dicionários.
Não tenho que 100 palavras.
Pelo menos uma vez por dia me vou no Morais
ou no Viterbo –
A fim de consertar a minha ignorãça,
            mas só acrescenta.
Despesas para minha erudição tiro nos almanaques:
– Ser ou não ser, eis a questão.
Ou na porta dos cemitérios:
– Lembra que és pó e que ao pó tu voltarás.
Ou no verso das folhinhas:
– Conhece-te a ti mesmo.

Ou na boca do povinho:
– Coisa que não acaba no mundo é gente besta
e pau seco.
Etc
Etc
Etc

Maior que o infinito é a encomenda.

Esse punhado de ossos

Ivan Junqueira

A Moacyr Félix

Esse punhado de ossos que, na areia,
alveja e estala à luz do sol a pino
moveu-se outrora, esguio e bailarino,
como se move o sangue numa veia.
Moveu-se em vão, talvez, porque o destino
lhe foi hostil e, astuto, em sua teia
bebeu-lhe o vinho e devorou-lhe à ceia
o que havia de raro e de mais fino.
Foram damas tais ossos, foram reis,
e príncipes e bispos e donzelas,
mas de todos a morte apenas fez
a tábua rasa do asco e das mazelas.
E ali, na areia anônima, eles moram.
Ninguém os escuta. Os ossos não choram.

A chuva, uma história

Ruy Espinheira Filho

A Alexei Bueno

A chuva conta uma história
nas telhas, no chão de ardósia.

Fala do açude onde sonha
esse reflexo risonho

(e onde tão fundo sonharam
os sonhos dos afogados)

que é um menino em seu sonho
de horizontes tão longe

que lá (ele não sabia)
jamais chegaria a vida.

A chuva conta este conto
que é como um sonho em que sonha

esse menino, que se ergue
de sobre a luz do reflexo

(e vai com ele essa luz
de amplos espaços azuis)

à voz que o busca, de casa,
por sobre montes e vales

(para os ouvidos, demais
distante, mas chega à alma),

essa ternura que o chama
nas frias cinzas do ângelus

e o envolve, e o guia, cálida,
entre as ruínas da tarde,

e agora silencia
neste ermo fim do dia

de um homem, enquanto a chuva
chora no rosto dos muros.

História antiga

Francisco Alvim

Na época das vacas magras
redemocratizado o país
governava a Paraíba
alugava de meu bolso
em Itaipu uma casa
do Estado só um soldado
que lá ficava sentinela
um dia meio gripado
que passara todo em casa
fui dar uma volta na praia
e vi um pescador
com sua rede e jangada
mar adentro saindo
perguntei se podia ir junto
não me reconheceu partimos
se arrependimento matasse
nunca sofri tanto
jogado naquela velhíssima
jangada

no meio de um mar
brabíssimo
voltamos agradeci
meses depois num despacho
anunciaram um pescador
já adivinhando de quem
e do que se tratava
dei (do meu bolso) três contos
é para uma nova jangada
que nunca vi outra
tão velha
voltou o portador
com a seguinte notícia
o homem não quer jangada
quer um emprego público

A missa do Morro dos Prazeres

Waly Salomão

Sursum corda.
Ao alto os corações.
Subir,
com toda alegoria em cima,
subir,
subir a parada
que a lua cheia é a hóstia consagrada na vala negra aberta,
subir,
que o foguetório anuncia a chegada do carregamento,
subir,
querubim errante transformista,
subir,
o incensório da esquadrilha da fumaça-mãe,
subir,
como se inalasse a neve do Monte Fuji,
subir,
o visgo da jaca já gruda na pele,
subir,

salvam pipocos da chefia do movimento,
subir,
soou a hora da elevação,
subir que o morro é batizado
com a graça de **Morro dos Prazeres**
– topograficamente situado no Rio de Janeiro.
Subir o morro
que a missa católica do asfalto
– sem os paramentos e as jaculatórias do latim da infância –
pouco difere de reunião de condomínio,
sacrifício sem *entusiasmós*.

Soneto futebolístico

Glauco Mattoso

Machismo é futebol e amor aos pés.
São machos adorando pés de macho,
e nesse mundo mágico me acho
em meio aos fãs de algum camisa dez.

Invejo os massagistas dos Pelés
nos lúdicos momentos de relaxo,
servindo-lhes de chanca e de capacho,
levando a língua ali, do chão no rés.

É lógico que um cego como eu
não pode convocar o titular
dum time brasileiro ou europeu.

Contento-me em chupar o polegar
do pé de quem ainda não venceu
sequer a mais local preliminar.

Argumento

Francisco Alvim

Mas se todos fazem

Utensílios

Lu Menezes

Para extrair
do alumínio seu lúmen
usaria

o desusado, exaurido
verbo "haurir"

Arearia

panelas
à beira de um rio, mergulhada

no alumínio luzidio

– "haurindo-o" –
polindo-lhe

a índole de água

e o ímpeto de prata
com grãos
de ouro de areia
arearia

"ourada"

submersa em seu domínio

(dia das mães)

Claudia Roquette-Pinto

ESCRITA,
é sempre você quem me resgata
do limiar do iminente nada
que borbulha
em camadas de pensamentos perigosos
e palavras,
cepas resistentes à droga da vida.
E no peito, que quase não respira,
(sobre o qual de bom grado recebo
o anel que aperta)
ouvir florescer
o buquê de promessas.
Assim, rainha
– tão descalça quanto um rei de carnaval –
sob os pés os paetês de brilho fácil
se extinguem ao passo
que a cabeça-balão-de-parada
a cada meneio exibe
o sorriso do enforcado.

Esses chopes dourados

Jorge Wanderley

Verdes bandejas de ágata, meus olhos amarelos
caminham para mim pela milésima vez
enquanto estou cercado por brancos azulejos
e amparado por uma toalha de quadros.
No útero deste bar vou me elevando
e saio da noite cheia de ruídos
para a manhã do mar
onde tudo é sal, impossível alquimia
disfarçada num domingo.

Amável,
esta manhã me aturde, manhã de equívocos
onde um sábado moribundo se entrega sem rancor.
Meu sábado, belíssima ave negra de olho aceso,
cai nas muralhas do sol como um herói melancólico
enquanto o mar abre o sorriso de dentes brancos
lavados na areia alvura.

Caminho para o sol que me atrai mecanicamente:

> – Vou te decifrar, domingo;
> diante de mim tua esfinge se enche de pudor.

quando a geração de meu pai
batia na minha
a minha achava que era normal
que a geração de cima
só podia educar a de baixo
batendo

quando a minha geração batia na de vocês
ainda não sabia que estava errado
mas a geração de vocês já sabia
e cresceu odiando a geração de cima

aí chegou esta hora
em que todas as gerações já sabem de tudo
e é péssimo
ter pertencido à geração do meio

tendo errado quando apanhou da de cima
e errado quando bateu na de baixo

e sabendo que apesar de amaldiçoados
éramos todos inocentes

Stanzas in meditation

Rodrigo Garcia Lopes

Para Henry David Thoreau

Folhas negras caem, rufam em profusão. O vento encrespa a
Água, Tempo, enruga
faces. Um vale revela
canyons, grutas:
em silêncio, exploramos o interior

destas montanhas: uma chuva fina, estranha,
começa a cair
e súbito dissipa –
o ruído áspero
de uma vespa.
Este é o céu, claro, como metal. E aquilo,

A fumaça abandonada por um trem, talvez. Flores
Se dissolvem nos olhos, e nos debruçamos sobre velhas
                                         [lendas
conferindo as pegadas de um animal desconhecido.
A trilha termina num riacho.

A água se surpreende com este vento todo
que vem do Oeste
e que agita a sinfonia das árvores.

Neblina nítida, colinas, um vapor neste espelho.
Num ponto qualquer da paisagem captamos
seus olhos verdes, mudos, fixos na relva úmida.
Um animal e você contemplam do mirante
este milagre
a baía vazia
– a areia do dia exibindo sua rasante –
rochedos & distâncias, como antes,
animada pelas danças do vento
fazendo desta ausência
presenças manifestas em tudo:
chuva
que desaba
entre os olhos
abertos
da serpente.
Um flash
de luz
entre os
bambus
:
o silêncio do sonho
traduzindo
uma imagem-movimento
que se desfaz
entre a verdade dos instantes.

Guardar

Antonio Cicero

Guardar uma coisa não é escondê-la ou trancá-la.
Em cofre não se guarda coisa alguma.
Em cofre perde-se a coisa à vista.
Guardar uma coisa é olhá-la, fitá-la, mirá-la por
admirá-la, isto é, iluminá-la ou ser por ela iluminado.
Guardar uma coisa é vigiá-la, isto é, fazer vigília por
ela, isto é, velar por ela, isto é, estar acordado por ela,
isto é, estar por ela ou ser por ela.
Por isso melhor se guarda o vôo de um pássaro
Do que um pássaro sem vôos.
Por isso se escreve, por isso se diz, por isso se publica,
por isso se declara e declama um poema:
Para guardá-lo:
Para que ele, por sua vez, guarde o que guarda:
Guarde o que quer que guarda um poema:
Por isso o lance do poema:
Por guardar-se o que se quer guardar.

Referências Bibliográficas

Na relação a seguir, encontram-se as seguintes informações: **título do poema**, em negrito; nome do autor; [data da primeira publicação em livro, entre colchetes]; fonte(s) utilizada(s) ou recomendada(s) para consulta. Os poemas estão relacionados na ordem em que aparecem no volume. {Obs.: As datas assinaladas com um asterisco (*) não se referem a primeiras edições em livro e sim à primeira edição em periódicos. Dois asteriscos (**) indicam data atribuída. As indicações em asterisco são suplementares ou visam a suprir parcialmente lacuna de informação.}

Primeira Parte
Abaixo os puristas

Poema de sete faces
Carlos Drummond de Andrade
[1930]
In *Sentimento do Mundo*. Rio: Record, 1999.

Poética
Manuel Bandeira
[1930]
In *Estrela da Vida Inteira*. Rio: Nova Fronteira, 1995.

Canção do exílio
Murilo Mendes
[1930]
In *Poesia Completa e Prosa*. Rio: Nova Aguilar, 1994. Org. Luciana Stegagno Picchio.

pronominais
Oswald de Andrade
[1925]
In *Pau-Brasil – Poesia*. S. Paulo: Globo.

Essa negra Fulô
Jorge de Lima
[1928]
In *Poesia Completa*, vol. I. Rio: Nova Fronteira, 1980.

Poema do beco
Manuel Bandeira
[1936]
In *Estrela da Vida Inteira*. Rio: Nova Fronteira, 1995.

"Sobre um mar de rosas que arde"
Pedro Kilkerry
[1912 **]
In *Revisão de Kilkerry*. S. Paulo: Brasiliense,
1985. Org. Augusto de Campos.

Ismália
Alphonsus de Guimaraens
[1916]
In *Obra Completa*. Rio: Nova Aguilar, 2001.
Org. Alphonsus de Guimaraens Filho.

Cais matutino
Ribeiro Couto
[1943]
In *Poesias Reunidas*. Rio: José Olympio,
1960.

Vou-me embora pra Pasárgada
Manuel Bandeira
[1930]
In *Estrela da Vida Inteira*. Rio: Nova
Fronteira, 1995.

Tristezas de um quarto minguante
Augusto dos Anjos
[1912]
In *Obra Completa*. Rio: Nova Aguilar, 1994.
Org. Alexei Bueno.

Pneumotórax
Manuel Bandeira
[1930]
In *Estrela da Vida Inteira*. Rio: Nova
Fronteira, 1995.

Coração numeroso
Carlos Drummond de Andrade
[1930]
In *Sentimento do Mundo*, Rio: Record, 1999.

Versos íntimos
Augusto dos Anjos
[1912]
In *Obra Completa*. Rio: Nova Aguilar, 1994.
Org. Alexei Bueno.

In extremis
Olavo Bilac
[1902]
In *Poesias*. S. Paulo: Martins Fontes, 1997.
Org. Ivan Teixeira.

Na boca
Manuel Bandeira
[1930]
In *Estrela da Vida Inteira*. Rio: Nova
Fronteira, 1995.

Mapa
Murilo Mendes
[1930]
In *Poesia Completa e Prosa*. Rio:
Nova Aguilar, 1994. Org. Luciana Stegagno
Picchio.

No meio do caminho
Carlos Drummond de Andrade
[1930]
In *Sentimento do Mundo*. Rio: Record, 1999.

A alvorada do amor
Olavo Bilac
[1902]
In *Poesias*. S. Paulo: Martins Fontes, 1997.
Org. Ivan Teixeira.

"Lépida e leve"
Gilka Machado
[1928]
In *Poesias Completas*. Rio: Léo Christiano
Editorial Ltda, 1992.

Pero Vaz Caminha
Oswald de Andrade
[1925]
In *Pau-Brasil – Poesia*. S. Paulo: Globo.

Minuano
Augusto Meyer
[1929]
In *Apresentação da Poesia Brasileira*. Rio:
Ediouro, s/d. Org. Manuel Bandeira.

Filosofia
Ascenso Ferreira
[1939]
In *Catimbó e Outros Poemas*. Rio: José
Olympio, 1963.

Cobra Norato
Raul Bopp
[1931]
In *Poesia Completa*. Rio-S.Paulo:
José Olympio /EdUSP, 1998. Org. Augusto
Massi.

Belo belo
Manuel Bandeira
[1948]
In *Estrela da Vida Inteira*. Rio: Nova
Fronteira, 1995.

Segunda Parte
Educação sentimental

Confidência do itabirano
Carlos Drummond de Andrade
[1936]
In *Sentimento do Mundo*. Rio: Record, 1999.

Motivo
Cecília Meireles
[1939]
In *Viagem/ Vaga Música*. Rio: Nova
Fronteira, 1982.
© Condomínio dos detentores dos direitos
de Cecília Meireles
Direitos cedidos por Solombra Books.

Soneto de fidelidade
Vinicius de Moraes
[1957]
In *Livro de Letras*. S. Paulo: Companhia das
Letras, 1991

Soneto
Mário de Andrade
[1941]
In *Poesias Completas*. Belo Horizonte -
S. Paulo: Itatiaia/EdUSP, 1987.

Estudo para uma ondina
Murilo Mendes
[1944]
In *Poesia Completa e Prosa*. Rio: Nova
Aguilar, 1994. Org. Luciana Stegagno
Picchio.

Poema patético
Emílio Moura
[1936]
In *Apresentação da Poesia Brasileira*. Rio:
Ediouro, s/d. Org. Manuel Bandeira.

José
Carlos Drummond de Andrade
[1942]
In *José*. Rio: Record, 1998

Este é o lenço
Cecília Meireles
[1945]
In *Mar Absoluto/Retrato Natural*. Rio: Nova
Fronteira, 1983.
© Condomínio dos detentores dos direitos
de Cecília Meireles
Direitos cedidos por Solombra Books.

Emergência
Mario Quintana
[1976]
In *80 Anos de Poesia*. 9ª ed. S. Paulo: Globo.
Org. Tânia Franco Carvalhal, 1998.

"Há uma rosa caída"
Maria Ângela Alvim
[1950]
In *Poemas*. 3ª ed. Campinas: Unicamp, 1993.

Canção elegíaca
Joaquim Cardozo
[1960]
In *Poesias Completas*. Rio: Civilização
Brasileira, 1971.

"Quando eu morrer quero ficar"
Mário de Andrade
[1945]
In *Poesias Completas*. Belo Horizonte-
S. Paulo: Itatiaia/EdUSP, 1987.

Imagem
Dante Milano
[1948]
In *Poesia e Prosa*. Rio: Civilização
Brasileira/EdUERJ, 1979.

Segunda canção de muito longe
Mario Quintana
[1946]
In *80 Anos de Poesia*. 9ª ed. S. Paulo: Globo.
Org. Tânia Franco Carvalhal, 1998

2º motivo da rosa
Cecília Meireles
[1945]
In *Mar Absoluto/Retrato Natural*, Rio: Nova
Fronteira, 1983.
© Condomínio dos detentores dos direitos
de Cecília Meireles
Direitos cedidos por Solombra Books.

"Solilóquio sem fim e rio revolto"
Jorge de Lima
[1949]
In *Poesia Completa* – vol. I . Rio: Nova
Fronteira, 1980.

Litogravura
Paulo Mendes Campos
[1966]
In *Paulo Mendes Campos – Melhores Poemas*.
2ª ed. S. Paulo: Global, 1997. Org.
Guilhermino César.

Divisamos assim o adolescente
Mário Faustino
[1966]
In *Poesia Completa e Traduzida*. S. Paulo:
Max Limonad, 1985. Org. Benedito Nunes.

Nadador
Cecília Meireles
[1956]
In *Canções*. Rio: Nova Fronteira. (no prelo)
© Condomínio dos detentores dos direitos
de Cecília Meireles
Direitos cedidos por Solombra Books.

Poema de Natal
Vinicius de Moraes
[1946]
In *Antologia Poética*. S. Paulo: Companhia
das Letras, 1992.

Banho (rural)
Zila Mamede
[1959]
In *Navegos*. Belo Horizonte: Vega, 1978.

Luiz Vaz de Camões
Carlos Nejar
[1997]
In *Carlos Nejar – Melhores Poemas*. S. Paulo:
Global, 1997. Org. Léo Gilson Ribeiro.

Grafito para Ipólita
Murilo Mendes
[1970]
In *Poesia Completa e Prosa*. Rio: Nova
Aguilar, 1994. Org. Luciana Stegagno
Picchio.

A rosa de Hiroxima
Vinicius de Moraes
[1954]
In *Livro das Letras*. S. Paulo: Companhia das
Letras, 1991

Terceira Parte
O cânone brasileiro

Tecendo a manhã
João Cabral de Melo Neto
[1966]
In *A Educação pela Pedra e Depois* (*Poesia
Completa*, vol. 2), 1997

A mesa
Carlos Drummond de Andrade
[1951]
In *Claro Enigma*. Rio: Record, 1998.

Psicologia da composição
João Cabral de Melo Neto
[1947]
In *Serial e Antes* (*Poesia Completa*, vol. 1).
Rio: Nova Fronteira, 1997.

Antiode
João Cabral de Melo Neto
[1947]
In *Serial e Antes* (*Poesia Completa*, vol. 1).
Rio: Nova Fronteira, 1997.

A máquina do mundo
Carlos Drummond de Andrade
[1951]
In *Claro Enigma*. Rio: Record, 1998.

Cenário
Cecília Meireles
[1953]
In *Romanceiro da Inconfidência*. Rio: Nova
Fronteira, 1989
© Condomínio dos detentores dos direitos
de Cecília Meireles
Direitos cedidos por Solombra Books.

Uma faca só lâmina
João Cabral de Melo Neto
[1956]
In *Serial e Antes* (*Poesia Completa*, vol. 1).
Rio: Nova Fronteira, 1997.

Romance XXI ou Das idéias
Cecília Meireles
[1953]
In *Romanceiro da Inconfidência*. Rio: Nova
Fronteira, 1989.
© Condomínio dos detentores dos direitos
de Cecília Meireles
Direitos cedidos por Solombra Books.

Louvação de Daniel
Henriqueta Lisboa
[1949]
In *Obras Completas, Poesia Geral,* vol. I. S.
Paulo: Livraria Duas Cidades, 1985.

Evocação mariana
Carlos Drummond de Andrade
[1951]
In *Claro Enigma*. Rio: Record, 1998.

"O céu jamais me dê a tentação funesta"
Jorge de Lima
[1952]
In *Poesia Completa,* vol. 2. Rio: Nova
Fronteira, 1980.

Balada
Mário Faustino
[1966]
In *Poesia Completa e Traduzida*. S. Paulo:
Max Limonad, 1985. Org. Benedito Nunes.

A educação pela pedra
João Cabral de Melo Neto
[1966]
In *A Educação pela Pedra e Depois* (*Poesia
Completa,* vol. 2). Rio: Nova Fronteira, 1997.

Pátria minha
Vinicius de Moraes
[1949]
In *Antologia Poética*. S. Paulo: Companhia
das Letras, 1992

Poema sujo
Ferreira Gullar
[1976]
In *Toda Poesia*. Rio: José Olympio, 2000.

Quarta Parte
Fragmentos de um
discurso vertiginoso

Com licença poética
Adélia Prado
[1976]
In *Poesia Reunida*. S. Paulo: Siciliano, 1991.

**"olho muito tempo o corpo de um
poema"**
Ana Cristina Cesar
[1978]
In *A Teus Pés*. S. Paulo: Ática, 1998.

A piedade
Roberto Piva
[1963]
In *Paranóia*. 2ª ed. S. Paulo: Instituto
Moreira Salles, 2000.
V. tb., *26 Poetas Hoje*. 2ª ed. Rio: Aeroplano,
1998. Org. Heloísa Buarque de Hollanda.

O homem que deu à luz um menino
Manoel Caboclo
[não identificada]
In *Manoel Caboclo*. S. Paulo: Hedra,
Biblioteca de Cordel, 2000.
Sel. Gilmar de Carvalho.

Luxo
Augusto de Campos
[1965*/1979]
In *Poesia*. S. Paulo: Duas Cidades, 1979.

Antifamília
Affonso Ávila
[1969]
In *Código de Minas*. 2ª ed. Rio: Sette Letras,
1997.

Agosto 1964
Ferreira Gullar
[1975]
In *Toda Poesia*. Rio: José Olympio, 2000.

Cogito
Torquato Neto
[1973]
In *Os Últimos Dias de Paupéria*. 2ª ed.
S. Paulo: Max Limonad, 1985. Org. Ana
Maria Silva Duarte e Waly Salomão.

rápido e rasteiro
Chacal
[1972]
In *Muito Prazer*. Rio: Sette Letras, 1997.

Ycatu
Olga Savary
[1982]
In *Repertório Selvagem*. Rio: Multimais
Editorial, 1998.

Negro forro
Adão Ventura
[1980]
In *A Cor da Pele*. Belo Horizonte: Ed. Do
Autor, 1980.

Jogos florais
Cacaso
[1974]
In *Beijo na Boca*. S. Paulo: Brasiliense, 1985.

Sintonia para pressa e presságio
Paulo Leminski
[1991]
In *La Vie en Close*. S. Paulo: Brasiliense,
1991.

Geração Paissandu
Paulo Henriques Britto
[1989]
In *Mínima Lírica*. S. Paulo: Duas Cidades,
1989.

Carta de Paris
Ana Cristina Cesar
[1985]
In *Inéditos e Dispersos*. 3ª ed. S. Paulo: Ática,
1998.

Casamento
Adélia Prado
[1981]
In *Poesia Reunida*. S. Paulo: Siciliano, 1991.

Rude-suave amigo
Dora Ferreira da Silva
[1999]
In *Poesia Reunida*. Rio: Topbooks, 1999.

Do desejo
Hilda Hilst
[1992]
In *Do Desejo*. Campinas: Pontes, 1992.

A bunda, que engraçada
Carlos Drummond de Andrade
[1992 – póstumo]
In *O Amor Natural*. Rio: Record, 1998

Alcoólicas
Hilda Hilst
[1992]
In *Do Desejo*. Campinas: Pontes, 1992.

Fim-de-século
Armando Freitas Filho
[1988]
In *De Cor*. Rio: Nova Fronteira, 1988.

Galáxias
Haroldo de Campos
[1963*/1965*/1984]
In *Os Melhores Poemas de Haroldo de Campos*.
3ª ed. S. Paulo: Global, 2001.

A uma passante pós-baudelairiana
Carlito Azevedo
[1991]
In *Collapsus Linguae*. Rio: Lynx, 1991.

O jangadeiro
Adriano Espínola
[1997]
In *Beira-Sol*. Rio: Topbooks, 1997.

Uma didática da invenção
Manoel de Barros
[1993]
In *O Livro das Ignorãças*. Rio: Civilização
Brasileira, 1993.

Esse punhado de ossos
Ivan Junqueira
[1994]
In *Poemas Reunidos*. Rio: Record, 1999.

A chuva, uma história
Ruy Espinheira Filho
[1996]
In *Memória da Chuva*. Rio: Nova Fronteira,
1996.

História antiga
Francisco Alvim
[2000]
In *Elefante*. S. Paulo: Companhia das Letras,
2000.

A missa do Morro dos Prazeres
Waly Salomão
[1998]
In *Lábia*. Rio: Rocco, 1998.

Soneto futebolístico
Glauco Mattoso
[1999]
In *Centopéia – Sonetos Nojentos & Quejandos*.
S. Paulo: Ciência do Acidente, 1999.

Argumento
Francisco Alvim
[2000]
In *Elefante*. S. Paulo: Companhia das Letras,
2000.

Utensílios
Lu Menezes
[1997]
In *Abre-te, Rosebud*. Rio: Sette Letras, 1997.

(dia das mães)
Claudia Roquette-Pinto
[2000]
In *Corola*. S. Paulo: Ateliê Editorial, 2000.

Esses chopes dourados
Jorge Wanderley
[inédito em livro]
In Revista *Poesia Sempre*, ano 8, n. 12, maio
2000. Rio: Fund. Biblioteca Nacional.

Stanzas in meditation
Rodrigo Garcia Lopes
[1997]
In *Visibilia*. Rio: Sette Letras, 1997.

Guardar
Antonio Cicero
[1996]
In *Guardar – Poemas Escolhidos*. Rio: Record,
1996.

Índice por Autores

Os Cem Melhores Poemas Brasileiros do Século

Conheça Também o Livro
Os Cem Melhores Contos Brasileiros do Século

Uma antologia livre de academicismos. Uma pesquisa orientada pela qualidade. Uma seleção de pequenas obras-primas. A obra reúnen narrativas extraordinárias de alguns dos principais nomes de nossa literatura. Nostálgicos, violentos, rurais ou urbanos, passionais, modernos, pós-modernos, líricos – os contos dessa antologia traduzem as mudanças do país e as inquietações de várias gerações de brasileiros, em cem anos de produção literária.

Os diferentes caminhos da literatura no início do século; a consagração do modernismo nos anos 40 e 50; os conflitos de identidade dos anos 60; a violência da vida urbana dos anos 70; a exploração sem censura do corpo dos anos 80; a criativa irreverência dos anos 90 – os contos aqui reunidos são, antes de tudo, um registro prazeroso de histórias que conquistaram leitores não por sua excelência acadêmica, mas por serem capazes de seduzir, divertir, emocionar – 620 págs.

RUBEM FONSECA OTTO LARA RESENDE CLARICE LISPECTOR OSMAN LINS RUBEM BRAGA SÉRGIO SANT'ANNA MACHADO DE ASSIS LYGIA FAGUNDES TELLES NÉLIDA PIÑON ROBERTO DRUMMOND MOACYR SCLIAR GRACILIANO RAMOS SILVIANO SANTIAGO ORÍGENES LESSA CAIO FERNANDO ABREU IVAN ÂNGELO HILDA HILST **OS CEM MELHORES CONTOS BRASILEIROS DO SÉCULO** LUIS FERNANDO VERISSIMO LIMA BARRETO JOÃO UBALDO RIBEIRO MÁRIO DE ANDRADE FERNANDO SABINO CARLOS DRUMMOND DE ANDRADE SAMUEL RAWET JOSÉ J. VEIGA ÉRICO VERISSIMO ANA CRISTINA CESAR RADUAN NASSAR ADÉLIA PRADO CARLOS HEITOR CONY DALTON TREVISAN Seleção: ITALO MORICONI ⊀ OBJETIVA

Conheça mais sobre nossos livros e autores no site
www.objetiva.com.br
Disque-Objetiva: 0800 224466 (ligação gratuita)

Impressão e Acabamento